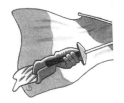

C000100380

## Chapitre 1
# *Sale temps au Lycée*

– Oh, non…, ronchonne Juliette.

La jeune fille s'arrête net au milieu du couloir du Lycée. Un groupe d'étudiants avance vers Juliette et son amie Chloé.

– Qu'est-ce qu'il y a ? demande Chloé.

– Viens par ici.

– Pourquoi ? Je n'y vois rien, dit Chloé. Elle fouille ses poches à la recherche de ses lunettes ; elle déteste porter des lunettes.

Juliette tire Chloé par la manche de son imperméable bleu électrique et les deux filles se retrouvent dans l'escalier qui mène au gymnase*. Chloé met ses lunettes : bleues, assorties aux mèches qui parsèment ses cheveux noirs et courts.

– Mais qu'est-ce qui te prend ? Il n'y a pas d'entraînement aujourd'hui, c'est vendredi, c'est le jour des garçons. Heureusement que c'est le week-end. Je ne peux pas rester au Lycée un instant de plus…

– J'ai vu Charlotte et sa bande, explique Juliette en descendant l'escalier.

– Oh… Charlotte ? Je sais que tu ne l'aimes pas.

Mais… Juliette, je t'assure que Charlotte peut être sympa quand elle veut…

Les deux filles passent devant les doubles portes du gymnase où les garçons de l'équipe d'escrime* s'entraînent. Elles entendent les bruits caractéristiques de l'entraînement : le choc des épées, et surtout le *buzz, buzz, buzz* du moniteur* électrique qui enregistre les touches*.

– Charlotte ? Sympa ? s'exclame Juliette.

Juliette et Chloé s'arrêtent à la sortie. Elles regardent la pluie dégouliner sur la porte vitrée. Leurs silhouettes se reflètent sur le carreau. Juliette est la meilleure amie de Chloé ; elles sont toutes deux membres de l'équipe d'escrime du Lycée. Elles s'entraînent et vont ensemble aux compétitions. Et quand il n'y a pas de compétition, Chloé, qui veut devenir créatrice de mode, organise des sorties au marché aux puces et dans les galeries d'avant-garde de Londres.

En fait, il n'y a que les grandes vacances pour séparer Juliette et Chloé. Pourtant les deux filles ne se ressemblent guère. Juliette est grande et mince. Sa taille et des heures entraînement font d'elle la meilleure escrimeuse du Lycée. Ses yeux, à ce moment sombres comme la pluie, peuvent être aussi bleus qu'un ciel d'été.

Chloé, en revanche, est petite et solide. Son succès dans l'équipe d'escrime tient à sa rapidité et à sa combativité. Chloé ressemble à un ange avec son visage rond et doux et ses yeux bruns et étincelants. Mais ses adversaires sont souvent surpris par l'agressivité de la petite Chloé.

Juliette pose son sac à terre et se baisse pour chercher quelque chose dedans. Ses cheveux bruns et longs couvrent son visage.

– Sympa ? ! répète Juliette, la tête toujours baissée. Charlotte ? Tu veux dire que c'est une peste ! Chaque fois que nous sortons après l'école avec elle et sa bande, il y a une bagarre avec les Anglais du quartier.

– Mais, les Anglais la cherchent, la bagarre ! Charlotte dit qu'ils sont jaloux, dit Chloé.

– Jaloux ? Jaloux de Charlotte ? Ne me fais pas rire !

– Elle est toujours bien habillée…

– Chloé, tu es ma meilleure amie, mais tu te préoccupes un peu trop des fringues. C'est Charlotte et ses amis qui provoquent les Anglais…

– Juliette, chuchote Chloé, son frère…

– Tu as raison ! Ce n'est pas que Charlotte, c'est aussi son frère Pau…

– Paul ! dit Chloé à haute voix.

– Ce n'est pas la peine de crier, dit Juliette, je t'entends parfaitement. Je ne trouve pas mon parapluie. Tant pis…

– Prends le mien, dit une voix basse.

Juliette se lève. Elle ramène ses cheveux derrière ses oreilles.

– Paul ! s'exclame Juliette.

— En personne, répond le garçon grand et mince aux cheveux blonds et bouclés. Je vais rejoindre Charlotte et sa bande, dit-il en hissant un énorme sac de sport sur son épaule. Venez avec moi. Prends mon parapluie…

— Non, non, dit Juliette. J'ai oublié le mien dans mon casier. Je vais le chercher.

— Mais, Juliette, dit Chloé, qu'est-ce que tu racontes ? Ton casier était vide. Il n'y avait rien dedans quand nous sommes parties…

Juliette tousse bruyamment.

Paul met son parapluie dans la main de Juliette.

– Tiens, évite d'attraper froid avec une toux pareille.

Les trois étudiants passent le portail du Lycée français de Londres. Ils suivent le flot des lycéens qui s'écoule dans la rue où seuls les phares des voitures et les feux de circulation percent la grisaille.

La pluie tombe à seaux maintenant. Juliette ne peut pas faire d'objections quand Chloé et Paul la serrent de plus près sous le grand parapluie. Le seul bruit est celui des gouttes qui tombent. Chloé, qui d'habitude parle sans cesse, ne dit rien.

Juliette cherche quelque chose à dire, mais ne trouve rien. Elle rougit en pensant que Paul l'a surprise à dire que lui et Charlotte sont des fauteurs de troubles. *Mais c'est vrai, tout de même,* pense-t-elle. *Ce sont eux les provocateurs ! Pourquoi ne pas le dire ? Pourquoi ne pas le dire tout de suite ? Ça aurait au moins le mérite d'interrompre ce silence gênant !*

– Paul, dit Juliette, j'ai quelque chose à te dire…

Le trio s'arrête à un passage piétons.

Une voiture passe, roulant dans une grosse flaque d'eau. Juste à temps, Juliette abaisse son parapluie, les protégeant des éclaboussures.

Paul rit :

– Ouah ! La douche !

Juliette le regarde. Ses vêtements sont trempés et l'eau dégouline sur son visage mais, malgré cela, il sourit. Juliette le trouve soudainement sympa. Elle se souvient que Paul aide souvent les jeunes escrimeurs qui se sentent un peu perdus aux compétitions.

Juliette s'interroge : *Suis-je trop dure ? Après tout, c'est peut-être vrai que les Anglais sont jaloux.* Elle se rappelle les railleries des étudiants anglais de l'école du quartier, la *White Tower Comprehensive**. Quand ils voient les Français, il y en a toujours un qui chante : *How do you say Lycée français in English ?* Et chaque fois les autres Anglais répondent : *French Lice**!*

Et on dit que la White Tower a l'air d'une prison à côté du Lycée français. *Tout le monde sait que White Tower n'a pas de bons résultats aux examens nationaux. Charlotte dit que ce sont les étudiants des* Council Flats* *qui font baisser le niveau…*

Juliette secoue la tête. Elle déteste les snobs comme Charlotte. Elle sait que Paul n'est pas vraiment snob, mais il suit Charlotte comme les autres. *Ce n'est pas une excuse. Ce n'est pas une excuse pour Paul. Et ce n'est pas une excuse pour moi !*

– Non, non, ce n'est pas une raison ! dit Juliette à haute voix.

– Qu'est-ce que tu as ? demande Chloé.

– Paul, dit Juliette, j'ai quelque chose à te dire…

– Tiens, les voilà, dit Paul. Il montre du doigt Charlotte et ses amis qui sortent d'un café de l'autre côté de la rue.

Paul s'apprête à descendre du trottoir. Le feu vert passe au rouge. Les trois jeunes gens traversent la rue.

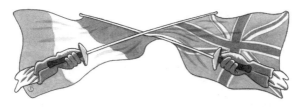

## Chapter 2
# *Duelling of umbrellas*

– Katie, be careful with that umbrella, Joshua laughs. I need both of my eyes!

Katie moves her pink umbrella to the left.

– Hey, put that thing away, growls William.

– It's pouring rain, Katie says. If you had any sense…

– Look! William interrupts. He points across the square.

The six English students from the White Tower Comprehensive look past the wrought iron fence and between the branches of the leafless trees of a typical London square in winter. They can see a group of teenagers, a girl and three boys, come onto the sidewalk outside a small café. They are laughing and passing a bag of pastries back and forth.

– It's the French Lycée kids.

– Here they come, says Katie.

– Come on. Let's go before they see us, says Joshua.

– I love the boots that girl in front has on, says Jessica. I wonder if she got them in France.

She looks down at her own Wellington boots which are covered in trendy sixties flowers.

– Let's go, says Joshua.

– Wait a minute! I'm not running from a bunch of frogs, says William.

– Yeah, it's our neighbourhood, not theirs, adds Tom.

– They are real snobs, says Jessica, but I do wonder where they buy their clothes…

– Who cares about their stupid frog clothes? says David. They should stay in their fancy Lycée.

– Or maybe we should teach them a lesson out of school, says William.

– Suit yourself. I'm out of here, warns Joshua.

Joshua turns to walk away but William steps in front of him.

William is taller and heavier than Joshua.

– Rugby players should stick together, says William.

– Use your head, Wills. THEY fight but WE get blamed for it.

– Because they are rich kids, says William.

– I told my parents: no more fighting.

David and Tom stand beside William.

– Josh, are you going to walk away from your teammates?

Joshua stares at William who slowly moves out of the way.

Katie looks out from under her umbrella at William, then at Joshua as he walks away. She takes a step to follow.

– Where are you going? asked William. Are you my girlfriend or his?

Katie turns slowly to stand by William.

Before Joshua turns the corner of the square he hears William call out:

– Rugby players should stick together on the field and off… Joshua shrugs off William's remark, just like he shrugs off the rain which falls harder and harder.

He steps into a big, quaint red phone box; the kind that can still be seen all over London. Joshua keeps the door of the phone box open and looks across the square at his friends. He is not leaving them alone. He knows the French kids can be tough. They are rich kids but they are not wimps.

*They don't run away from a fight,* Joshua thinks. *They usually start the fight. It's not what they say that starts it. Who can understand them anyway? It's the way they look at us. It's the way they walk. Look at the girl in the front; the one with the fancy boots. She walks like she owns the place! They always wear their trendy clothes, while we are stuck in these stupid uniforms!*

Joshua speaks softly under his breath: *Mom and Dad, I promised not to fight but what about breaking up a fight?*

Joshua watches as the French kids reach William and his friends and stop. William faces a big boy with brown hair. Katie faces the girl with the nice boots and hides under her umbrella. Tom and David are face to face with two younger Lycée boys. William pretends he's a teacher and asks:

– Class, what's the English for Lycée français?

One of the French boys answers:

– Let us by. We do not spend all of our time on the streets.

– That's the wrong answer. Class, who can do some translating for this student who needs a lesson? Lycée français?

– FRENCH LICE! roar Tom, David and Jessica. Katie takes a step back.

11

The trendy girl taps the French boy on the shoulder:

– Benjamin, I don't think we need lessons from these louts of London.

– She has great boots but her accent is terrible!

Jessica sticks her nose in the air like the French girl and taps William on the shoulder.

– Benjamin, she says, imitating the French accent, I don't sink we need ze lessON from zeze laUTS of LonDON.

Jessica's imitation is spot on and William, Tom and David burst into genuine laughter. Laughter is contagious. Soon the three French boys are laughing too. The two opposing lines disappear.

Only Katie, under her umbrella and the French girl who is rooted to the spot still face one another. Katie peers out from under her umbrella and lets out a nervous laugh. The French girl is furious. She shakes a finger in Katie's face.

– What is so funny? she demands.

Katie steps to the side. She pokes the boy called Benjamin with her umbrella.

Benjamin turns to William:

– Tell your girlfriend to be careful!

– Tell your girlfriend to back off! shouts William.

The French girl grabs Katie's umbrella. She quickly closes it and hands it to Benjamin.

William takes the umbrella out of Benjamin's hands as though he were taking a rugby ball from an opponent. He pokes Benjamin in the stomach with the tip of the umbrella.

The two other French boys square up with Tom and David.

From his post in the phone box, Joshua is surprised

and relieved to hear laughter coming faintly across the square. But suddenly, everything changes. *What has happened this time?* he asks himself. He can see that William has Katie's umbrella. He is making the big French boy back up step by step.

*Come on William, don't be stupid,* he thinks. *He is beaten. Let him go now. Come on. Let him go or I will make you.*

Joshua walks towards the group. Then he sees a tall blond kid running towards William. He's got a furled umbrella in his hand. The blond kid pushes Benjamin to one side. In a flash he parries William's umbrella and flings it into the air.

Joshua is running toward the fight now and the umbrella falls a few feet ahead of him. Still running Joshua snatches the umbrella up. He pushes William out of the way. Now Joshua and the blond kid clash: umbrella to umbrella.

The French girl with the fancy boots cheers:

– Donne-leur une leçon, Paul!

Joshua struggles to stand his ground but the blond kid, called Paul, moves so quickly.

His arm is like a blur. The point of the umbrella hits Joshua on the chest, on the heart, time and time again.

Joshua won't give in. He knows he is stronger than Paul. If he can just get one hit. But Paul keeps beating him back...

– Ça suffit ! Enough!

A French girl with long brown hair stands between Paul and Joshua. She holds a foil* out between them.

– Paul! She shakes her head at the boy. And you, she says to Joshua, why don't you just leave us alone.

– I want to stop the fighting as much as you, says Joshua.

– I don't believe a word you say...

– Neither do I, Miss!

Everyone turns to see a policeman; a London bobby* with a London bobby's hat just like in the films. But this bobby does not smile.

– I don't believe this young troublemaker either, he says to Juliette. Nor do I believe you.

Then the bobby turns to all of the kids, English and French, who stare at him.

– And I think your parents will need a better story than that!

## Chapitre 3
# *La guerre de Cent Ans*

Les doigts de Juliette volent au-dessus du clavier de l'ordinateur. *Tap, tap, tap,* le bruit des touches résonne dans sa chambre. Elle répond à un mail de Chloé. Les mots apparaissent sur l'écran.

∴

Je ne sais pas si je peux aller au marché demain. J'attends mon père et Daisy qui veulent me parler. Génial ! Le week-end commence bien !

∴

Juliette envoie le mail et reste la tête appuyée sur la main en attendant la réponse de Chloé.

*Ah oui…,* pense-t-elle, *super le début de week-end !*

Elle repasse dans sa tête la scène de son arrivée après le duel. Daisy ouvre la porte de la maison. Juliette et le bobby sont sur le pas de la porte. Il ne manque que les menottes. Daisy, toujours charmante, invite le bobby à entrer et lui offre du thé ! Mais Juliette voit bien que Daisy est inquiète et même triste…

Juliette secoue la tête. Elle ne veut pas y penser. Elle regarde l'écran de l'ordinateur. Toujours pas de réponse. *Dépêche-toi, Chloé,* pense-t-elle.

Elle appuie à nouveau sur la touche envoyer/recevoir. Rien.

*C'est nul les e-mails! Le texto est tellement plus rapide. Mais bien sûr Papa et Daisy prétendent que ce n'est pas bon pour le bilinguisme. Et le bilinguisme est important pour l'intégration culturelle. Et l'intégration culturelle va sûrement sauver le monde! Grrr… C'est bon pour Papa, après tout c'est son boulot. Mais moi je déteste l'intégration culturelle. D'ailleurs ça n'existe pas. Le duel d'aujourd'hui en est la preuve. Les gens ne peuvent pas être français et anglais en même temps. Je ne peux pas être deux personnes à la fois. J'en ai marre.*

Juliette se lève. Elle traverse la chambre et s'assoit dans son siège préféré, une sorte de coque en osier suspendue au plafond.

Elle fait tourner le fauteuil et s'amuse à regarder sa chambre tournoyer devant elle : son lit, ses guitares, acoustique et électrique, la bibliothèque bourrée de livres, ses fleurets* et les coupes de ses victoires d'escrime, sa chaîne hi-fi et contre le mur les casiers à CD et les photos de ses amis et de sa famille.

Elle met le pied à terre et arrête le fauteuil. Elle regarde les photos : Papa dans son nouveau bureau à Londres. Ses yeux brillent de bonheur derrière ses lunettes rondes. Il est tellement content de pouvoir travailler sur son Projet d'Intégration des Jeunes Européens, son fameux PIJE.

Et puis la photo du mariage : Papa et Daisy devant la grande maison de campagne de Daisy en Écosse. Juliette tient un bouquet de bruyère et se cache un peu derrière Michael, son nouveau frère par alliance. Elle était impressionnée : pas surprenant, avec tous ces hommes en kilt et les cornemuses jouant sans cesse !

Elle n'avait que onze ans à l'époque et ne parlait pas très bien l'anglais. Michael, lui, parlait tellement bien le français et était si gentil en plus.

Et puis les photos de Maman avant l'accident. Maman tenant Juliette bébé dans ses bras : elle a l'air fatiguée mais si heureuse ! Et puis Maman en tenue d'escrime. Juliette se lève et contemple la photo : Maman vient juste d'enlever son masque et ses cheveux bruns et longs s'échappent du bandeau.

Elle s'appuie sur les casiers à CD. Elle ne se rend pas compte qu'elle parle à haute voix : Maman, tu me manques tellement…

*Toc, toc, toc* ! Juliette tourne la tête.

La porte est ouverte. Daisy et son père sont là. Depuis combien de temps ? Est-ce qu'ils ont entendu ? Juliette rougit.

– Juliette, nous te dérangeons ? demande Daisy.

Juliette se retourne vers ses CD.

– Non, non, je… je… cherchais de la musique…

– On peut revenir pour te parler plus tard, chérie, dit Daisy.

– Non, dit Papa, la musique peut attendre. Il faut qu'on parle tout de suite.

– D'accord, dit Juliette, qui s'assoit devant son ordinateur. Elle voit que la réponse de Chloé est arrivée.

– Je préfère que tu ne regardes pas ton ordinateur pendant notre conversation, dit son père.

– Je voulais juste voir un mail de Chloé…

– Ce n'est pas un mail, c'est un courriel, dit son père, faisant référence au terme français officiel.

– Tu es Monsieur Intégration, mais tu ne me laisses pas utiliser les mots anglais !

– Oui, je suis Monsieur Intégration ! Et toi, qu'est-ce

que tu fais ? Tu rejoues la guerre de Cent Ans ? Crois-tu que c'est juste d'inquiéter Daisy ?

Juliette tourne la tête pour regarder les photos de sa vraie maman.

— Christian ! chuchote Daisy. Juliette, dit Daisy, je ne suis pas ta vraie maman, mais c'est vrai que je m'inquiète pour toi.

Juliette baisse sa tête.

— Je suis désolée Daisy. Je ne voulais pas t'inquiéter.

— Je sais, chérie, dit Daisy. Es-tu malheureuse ? Ça ne va pas ?

Juliette ne peut rien dire.

— Ce n'est pas ton genre de te bagarrer, dit Papa

— Mais je ne me suis pas bagarrée. Pourquoi refuses-tu de me croire ?

— Mais qu'est-ce qui t'arrive en ce moment, Juliette ? demande Papa.

— Je ne sais pas. Comment je peux savoir ? Je ne sais même pas qui je suis !

— C'est dur pour toi de vivre ici ? demande Daisy.

— Mais non. C'est super, Daisy, je t'assure, dit Juliette, mais sa voix tremble.

Daisy et Christian se regardent.

Christian pose un petit baiser sur le front de Juliette.

— Nous en parlerons plus tard, chérie. Il est tard. Et en plus tu dois lire tes mails.

Juliette lève la tête. Elle regarde son père dans des yeux. Il sourit derrière ses lunettes rondes.

— Oui, Papa, je suis fatiguée, dit Juliette. Et j'ai un courriel très important qui m'attend.

Daisy fait un clin d'œil à Juliette.

## Chapter 4
# *English market forces*

Juliette stops in front of the South Kensington tube station. The sun is breaking through the clouds. Patches of blue appear in the sky. Juliette reaches into her bag to get her Oyster Card* but her watch catches on the striped fabric.

– Hey! Wait a minute, Juliette calls to Chloé who is still walking.

Chloé turns and smiles:

– J'ai une surprise…

– No French, Chloé! she says as she struggles to free her watch from the bag.

Chloé sighs as she walks back to Juliette.

– Mais…

– No, Chloé. You made me promise we would speak English every weekend.

– Maybe I was just kidding. You take everything so seriously, Juliette!

– And if you fail your English oral, asks Juliette. That will be serious, won't it?

– Here, says Chloé who is genius with her hands, let me do it.

19

– What a nuisance your watch is, Chloé says as she works to untangle the fabric. It's always getting caught on something.

– I know, says Juliette. Maybe I'll find a new one today.

– Voilà !… I mean, there you go. You are free!

– Thanks, says Juliette.

Holding her Oyster Card in her hand Juliette starts down the stairs to the tube.

– We are not taking the tube, says Chloé. That's the surprise. I have found a marché… market in our own neighbourhood!

– But there is no market near here.

– Just follow me, says Chloé.

Chloé leads Juliette away from the tube station. They cross the Square of the Duel.

– I really did not want to come back here today, says Juliette.

– Oh, sorry, says Chloé. Did your parents give you a hard time?

– It could have been worse, says Juliette.

The girls are on the other side of the square now. The houses with their brightly painted doors and pretty little front gardens become fewer and fewer. Soon large council flats take up most of the streets.

Now Chloé turns the corner. A high fence topped with wire seems to go on forever. Juliette looks around. She doesn't recognize the area.

*Where on earth is Chloé going?* Juliette asks herself.

Juliette follows Chloé who stops at a big gate in the fence. Through the gate Juliette sees a modern white building. On the gate is a sign.

Juliette gasps as she reads: *White Tower Comprehensive School-Headmaster\*: Dr. James Hardcastle.*

– Surprise! says Chloé. Isn't it amazing? On the weekends the White Tower playing fields are used for a market! And they have the coolest clothes…

– Chloé! cries Juliette.

– I know! Brilliant isn't it! Chloé takes Juliette by the arm. Come on!

The girls are in the middle of the market on the playing fields behind the school.

Juliette pulls Chloé to one side.

– We should leave, she says.

– Why? Don't you like it? I love the homemade clothes here! Look at those peasant shirts over there, Chloé points to a stall surrounded by clothes rails filled with colourfully embroidered shirts and blouses.

– I CAN NOT be here, hisses Juliette. Don't you understand? What if we run into those kids? I can't upset my father and Daisy anymore.

– I wish I would have an English stepmother*, says Chloé.

– Would have? What does that mean?

– I'm trying the conditional tense.

– It's not working.

– Tant pis… I mean… too bad, says Chloé shrugging her shoulders. I still wish I HAD an English stepmother. Or even better an English stepbrother* like Michael. He is really cute. Do you think he likes you? I mean do you think he likes you but not like a brother?

Juliette blushes:

– Come on. Let's look at the peasant shirts over there.

– Ha, Chloé laughs, changing the subject, are you?

The two girls look at all the shirts. Then from the other side of the clothes rail comes a woman's voice saying:

– Josh, please hang those jeans on the rail over there

so that the embroidery shows to people passing by.

A boy's voice answers.

– Okay, Mom.

Juliette and Chloé look at one another. They recognize that voice from yesterday in the square.

– Joshua, says the woman, put that magazine down. You are here to learn a lesson: no more fighting. You are not here to enjoy yourself.

– Mom, I enjoy myself every time I'm with you, says Joshua.

– Oh, Josh, laughs the woman. Seriously, you promised your father and me that you wouldn't fight. I don't know what's come over you.

Juliette grabs Chloé's arm. She mouths:

– Let's get out of here!

Chloé mouths back:

– It's that boy. I want to listen!

Juliette shakes her head:

– Suit yourself. I'm out of here!

She turns to go. Oh no! Her watch is caught in the fabric of the shirt! Two steps more and the clothes rail starts to rock. Juliette turns quickly and jerks her arm. Chloé sees the rail begin to fall and tries to free Juliette's arm. No luck.

Juliette puts her hand out to steady the rail. Too late! The rail falls and Juliette is on the ground surrounded by a pile of shirts. Her watch is still attached to one of them.

She looks up to see Joshua bending down to help her up.

His eyes are ice cold and it really hurts when he says to her:

– Come to see the natives in their natural habitat?

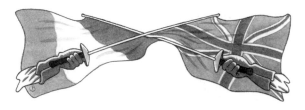

## Chapitre 5
# *En garde !*

Juliette est la dernière dans les vestiaires* de la salle d'escrime du Lycée. Chloé, Charlotte et les autres se sont déjà changées et ont rejoint l'entraînement.

Mais Juliette traîne. Lentement, elle enfile le pantalon blanc, remontant les bretelles sur ses épaules. Elle cherche dans son sac le gilet métallique qui s'attache au kit de piste électrique, permettant l'enregistrement des touches. Juliette a du mal à remonter la fermeture éclair du gilet. Décidemment, elle est fatiguée.

Mais comment dormir après l'épisode de la visite à White Tower Comprehensive ? Depuis samedi, elle n'arrive pas à se débarrasser de l'image d'elle-même ensevelie sous la pile de vêtements qu'elle avait fait tomber et de Joshua la regardant, ses yeux si bleus soudain froids comme de la glace !

Ses mots repassent dans sa tête : *Come to see the natives in their natural habitat ? Venue voir les indigènes dans leur habitat naturel ?* En francais, ce n'est pas mieux.

Et alors, ce qu'il a dit après qu'il l'a aidée à se relever… NON, elle ne veut pas y penser !

Juliette secoue la tête. Oui, elle est bien fatiguée. Elle n'a pas envie de s'entraîner. Elle se rassoit sur le banc.

Juliette entend ses coéquipières* qui parlent et rient en s'entraînant. D'habitude elle adore la camaraderie de l'équipe. Mais aujourd'hui elle se voit mal plaisantant avec tout le monde. Peut-être ferait-elle mieux de partir ?

Mais elle entend aussi le bruit des armes qui s'entrechoquent et le *buzz, buzz, buzz* du moniteur électrique. Elle sait qu'elle peut s'oublier dans l'action. L'escrime est un sport physique et mental. En se jetant dans l'entraînement, il n'y aura plus de place dans sa tête pour les images et les voix qu'elle veut oublier.

Juliette se lève, ferme la glissière de son gilet métallique et, son gant et son masque sous le bras, elle se dirige vers la porte du vestiaire.

Toute l'équipe s'entraîne le lundi : filles et garçons. La salle est pleine d'activité. Sur les longues pistes noires, les escrimeurs, tout de blanc vêtus, s'affrontent deux à deux.

Juliette aperçoit les deux entraîneurs : Charles, le jeune maître d'armes*, pas de grande taille mais fort et rapide, entraîneur des garçons, et maître Caroline, grande et aussi mince qu'une lame*, entraîneuse des filles. Les maîtres s'occupent des plus jeunes escrimeuses à droite dans la salle.

À gauche, les grands s'échauffent et s'entraînent en attendant les leçons des maîtres.

Juliette voit Chloé en plein assaut* contre Paul. Charlotte arbitre* analysant les échanges et vérifiant le signal vert, rouge ou blanc du moniteur électrique.

Chloé et Paul se reposent un instant. Ils relèvent leurs masques et s'approchent l'un de l'autre pour se parler.

Chloé aperçoit alors Juliette devant la porte du vestiaire. Elle lui fait signe de la main et Juliette se faufile entre les pistes pour la rejoindre au milieu de la salle.

– Ça va ? demande Chloé.

– Oui. Oui, ça va, dit Juliette. On fait un match ?

Charlotte les interrompt :

– Moi, plutôt. J'en ai assez d'arbitrer.

Il n'y a rien à dire. À chacun son tour.

Chloé enlève son gant et se campe entre les deux filles pour arbitrer. Paul continue à s'entraîner. Il se place devant une des cibles blanches attachées le long du mur de la salle, lève son fleuret et avance. La pointe de sa lame effleure le cœur rouge au centre de la cible.

Juliette attache le câble du moniteur électrique à son gilet. Charlotte fait de même. Elles se placent à une distance d'à peu près un mètre l'une de l'autre. Les masques baissés, Juliette et Charlotte se saluent.

Maintenant, Juliette ne pense plus qu'à l'assaut. Automatiquement, elle se positionne presque de profil, sa main droite tenant le fleuret devant elle, son bras gauche derrière le dos, plié au coude, la main ouverte et relâchée.

Juliette sait que Charlotte est souple et rapide. De plus elle est gauchère : dangereuse ! Il faut être au mieux pour la battre.

– En garde*, dit Chloé. Prêtes ? Allez.

Tout de suite Juliette se sent mieux. Elle trouve son centre de gravité et ses pieds se déplacent avec grâce et sans effort. Charlotte, en revanche, semble anxieuse. Elle attaque sans préparation. Juliette pare* et riposte*. Elle entend le *buzz* du moniteur qui enregistre la touche.

Chloé lève l'index de sa main droite, du côté de Juliette, et dit :

– Un-zéro.

Charlotte s'acharne à attaquer sans préparation et Juliette gagne point après point.

Mais, à huit-zéro, le point dure longtemps et Juliette et Charlotte s'approchent très près l'une de l'autre.

Charlotte chuchote :

– Tu es agressive aujourd'hui.

– C'est le jeu, Charlotte, dit Juliette.

– Ce n'est pas Joshua qui t'a appris des coups de voyous ?

Juliette s'arrête un instant. Charlotte prend l'avantage.

Touche et *buzz*.

Chloé lève l'index de la main gauche :

– Huit à un.

Juliette et Charlotte se séparent.

Chloé reprend :

– En garde. Prêtes ? Allez.

Juliette chuchote :

– De quoi tu parles, Charlotte ?

– Chloé m'a raconté ce que ton petit ami a dit samedi, lance Charlotte.

Juliette jette un coup d'œil à Chloé. Charlotte saisit l'occasion pour attaquer. Touche et *buzz*.

Chloé annonce :

– Huit-deux. En garde. Prêtes ? Allez.

– Ce n'est pas mon petit ami, dit Juliette.

Charlotte siffle derrière la grille de son masque comme si ses mots étaient de la vapeur sortant d'un radiateur trop chaud.

– Tu me rassures. Ces Anglais sont sûrement des voyous.

Juliette s'arrête et enlève son masque.

– Qu'est-ce que tu sais des Anglais, Charlotte ? Ils ont peut-être la vie un peu plus dure que nous, c'est tout, dit Juliette. Peut-être que si nous les Français faisions un effort d'intégration…

Charlotte enlève aussi son masque.

– Oh… Juliette, ne commence pas avec ça. On en a assez de ta frime. Même ton Joshua pense que tu es bidon. C'est vrai n'est-ce pas ? Il a dit que tu n'es qu'une touriste venue à Londres voir les Anglais, comme s'ils étaient dans un zoo.

Juliette ne peut pas nier. C'est bien ce que Joshua a dit.

Maître Caroline arrive et s'interpose entre les deux filles.

– Charlotte, ça suffit, maintenant, dit maître Caroline. Et toi, Juliette, qu'est-ce que tu as ? Ce n'est pas ton genre de te disputer avec tes coéquipières !

Juliette se retourne et commence à marcher vers le vestiaire. Chloé la suit et lui prend doucement le bras mais Juliette se dégage.

La voix de Charlotte la poursuit :

– Mais je ne dis que la vérité…

## Chapter 6
# *Through the bars*

Juliette is at her favourite table at the café near the Lycée. But she is not looking out the window at the Square of the Duel. Instead she stares down at the croissant crumbs on her plate while she scrapes the white cappucino foam from the sides of her empty cup.

Finally she pulls her laptop* computer from her bag. She has to talk to someone.

She pictures her stepbrother Michael at his military school in the English countryside. Is he practicing in the beautiful old fencing hall with the vaulted ceiling? Is he studying manœuvres in the map room with the large tables?

Or is he at his desk in front of the window overlooking the quadrangle and the lawns?

Juliette says a little prayer that Michael is in his room at his computer. Then she opens her email. Miracle! A message from Michael pops up on the screen!

Hiya,

I heard from Daisy that you are now fencing in the streets. Still winning?

Seriously, how are you little sis? okay?

Michael

PS – It's no use trying to write to me in French. It's English this time. Last time it was French – my finger still hurts from paging through the dictionary!

∴

Hiya Michael,

I know it is my turn to write in English. Do I ever try to cheat on our English/French email arrangement? Don't answer that question! I cannot believe Daisy already told you about the duel.

∴

Sis, there are no secrets in our family. You should know that by now. Good thing I followed my Dad into the military not the Secret Service.

A duel! I thought it was a group of hooligans* street fighting. A duel is different – tell me all about it.

∴

I thought it was a bunch of hooligans too – a bunch of British hooligans (no offense) who started the fight. But now I don't know. I'm not sure about anything anymore.

∴

Daisy told me you said you tried to stop the fight.

∴

I did. But no one believed me. The English kid I was fighting said he tried to stop the fight too.

∴

So everyone was trying to stop the fight but still there was a fight. Hmmmm, sounds a bit strange.

∴

Maybe so. But no one believed me which is so unfair!

∴

No one believed the English kid either, it seems.

∴

Joshua? No one believed him either. But who cares? He is so mean. He called me a tourist! A tourist at a zoo! None of this would have happened if we lived in Paris. I hate living in London. I feel like such an outsider. And Papa thinks I'm a problem for cultural integration! It's all so unfair!

∴

It sounds like you and Joshua have a lot in common. No one believes you and you are both looking through bars of that zoo he's talking about. Joshua is looking from the inside out. You are looking from the outside in. Maybe your father just wants the bars taken down?

∴

But so do I! That's why it's so unfair. And Charlotte called me a goody-goody and a phoney. Can you believe it?

∴

Whoa – wait a minute! Charlotte? She is the one with the blond hair and the attitude of a spoiled kid – right? Do we really care what she thinks or what she says? She is probably just afraid that you will make friends with the English. You know, when people get together – when the bars come down – people like Charlotte can't stir up as much trouble. Then people like her get scared.

∴

I never thought of that. You are pretty smart for a big brother!

∴

And you are pretty smart for a little sister. Maybe it's time to use your head.

∴

But what can I do? How can I bring the bars down?

∴

Think about it. In fencing* you have to make contact – marquer une touche – to score. It's the only way to win.

∴

You don't mean go to the English kids and make contact?

∴

Why not? You and Joshua seem to have a lot in common.

∴

He thinks I'm a tourist. He hates me. He'll say something mean. He'll turn the others against me.

∴

In fencing you have to take a risk to make contact. You can't make contact by backing away or hiding behind your defenses all the time. You have to leave yourself a little bit open. It's the only way.

∴

I don't know if I have the courage. Can I take that kind of risk? Am I that kind of person inside? I don't know anymore.

∴

In the end, when the game is over, we all take off our masks, Juliette.

∴

Then maybe the real me will appear? Is that what you are saying?

∴

Little sis, I don't need you to take off a mask. I know the real you.

Hey... got to go. I'm late for a class. Talk to you soon.

∴

Juliette looks up from her screen and out the window. The Square of the Duel is still out there. It seems to be waiting for her. *Michael*, she whispers, *what if I take off the mask and I don't like what I see?*

She pulls her umbrella out of her bag. Packs her laptop carefully inside, then puts on her raincoat.

The square is waiting and she is not going to run away from it anymore.

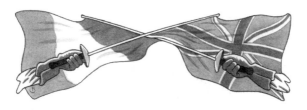

### Chapitre 7

# *Contact!*

Sous la pluie, Juliette fait le tour de la place du Duel.

Elle s'arrête, s'appuie contre la cabine téléphonique rouge et ferme les yeux.

– Et si, quand j'enlève le masque, se répète Juliette tout bas, je n'aime pas ce que je vois?

Les yeux toujours fermés, elle repasse dans sa tête les événements du duel.

*Elle se revoit devant le café, dos à la rue. Elle tient le grand parapluie au-dessus de Paul et Chloé. Soudain, Paul laisse tomber son sac d'escrime, lui prend le parapluie des mains, le ferme et se met à courir comme un fou! Alors qu'elle se retourne vers la place, Joshua sort de la cabine téléphonique, à laquelle elle est appuyée. Elle sort le fleuret de Paul de son sac de sport. Paul et William se battent. Fleuret en main, elle court vers la place et les combattants. De son côté Joshua court aussi. En fait, Joshua ne commence à courir que quand elle commence elle-même à courir, le fleuret de Paul en main.*

*S'ils se sont mis à courir au même moment, peut-être est-ce pour la même raison: pour arrêter la bagarre!*

*Mais alors… Joshua a dit la vérité ! Il voulait arrêter la bagarre autant qu'elle.*

Juliette ouvre les yeux. Tout d'un coup, elle sait ce qu'elle va faire ! C'est si simple ! Elle va marquer une touche – *make contact.*

Elle regarde sa montre. Cette même montre qui, au marché, s'était accrochée aux vêtements. Tout à coup, l'humiliation de samedi au marché de White Tower lui revient. Dans sa tête, les mots de Joshua résonnent : *Tu n'es rien qu'une touriste. Tu crois que nous sommes des animaux dans un zoo. Tu viens te moquer de nous.*

Michael a raison, pour marquer une touche il faut créer une ouverture… mais, créer une ouverture, c'est s'ouvrir à une blessure. C'est un risque qu'elle va prendre : elle va voir ce qu'il y a sous le masque.

C'est décidé. Elle regarde encore sa montre. 17 heures 30. En se dépêchant elle trouvera Papa au bureau.

Les rues de Londres semblent soudain aussi familières que de vieilles amies et aussi confortables qu'un vieux pull. Il est vrai que les rues de Londres ne sont pas toujours très propres. Mais il y a tellement d'activité et de gens du monde entier ! En fait Londres est vraiment accueillante.

Elle passe devant le Lycée et puis un peu plus loin l'Institut français. On y trouve un cinéma et une grande bibliothèque pleine de livres français. Il est facile de rester entre Français dans ce petit coin de Londres.

Parfois, il faut même faire un effort pour rencontrer des Anglais ! Juliette fait exprès d'écouter des bribes de conversation en passant dans les rues qui mènent au bureau de son père.

Une femme bien habillée sort d'un taxi. Elle passe

la main par la fenêtre du taxi pour payer le chauffeur et dit : Thanks very much. Keep the change.

*Garder la monnaie*, traduit mentalement Juliette. *Les pourboires,* tips *en anglais, il faut y penser ici beaucoup plus souvent qu'en France. Je sais ça ! Je ne suis pas une touriste française qui ne sait pas qu'il faut donner des* tips *!*

Souriant, Juliette entre dans l'immeuble où se trouve le bureau de son père. Au troisième étage, elle sort de l'ascenseur. Marie, la secrétaire de son père, est assise à un grand bureau en verre et en acier. Elle est aussi moderne que son bureau avec des lunettes sans monture et un ensemble en tweed rose pâle.

Marie lève les yeux d'un livre si gros que ce ne peut être qu'un dictionnaire. Elle semble bien contente d'avoir un prétexte pour le fermer.

– Quel sourire, Juliette ! dit Marie. Tu as gagné au loto, ma belle ?

– Pas encore, Marie, s'amuse Juliette. Papa est là ?

– Il demande à ne pas être dérangé pour l'instant. Il prépare un grand dossier sur l'intégration des établissements scolaires. Je peux faire quelque chose pour toi ? demande Marie.

– Non, je ne crois pas. Je peux attendre ? demande Juliette.

– Mais bien sûr, dit Marie.

Juliette va s'asseoir. Elle prend en main une des feuilles d'information de *L'Intégration Culturelle* étalées sur une petite table. *Passionnant,* pense-t-elle, en lisant un article sur le jumelage. Juliette laisse tomber la feuille et regarde Marie qui feuillette le dictionnaire.

Elle l'entend murmurer :

– Mais qu'est-ce que ça peut bien vouloir dire ?…

Juliette se lève.

– Je peux t'aider ?

Marie sourit :

– C'est gentil. Ton père m'a demandé de traduire les premières pages du dossier, mais j'ai du mal à trouver les mots justes en anglais…

– Hum, dit Juliette. Oui, c'est parfois très difficile…

Marie enlève ses lunettes. Elle frotte l'arête de son nez.

– Je me demande si je ne ferais pas mieux de rencontrer plus d'Anglais. Je crois que je passe trop de temps ici, en Petite France, dit-elle.

– En Petite France ? demande Juliette.

– Oui, on appelle ce quartier la Petite France. Il y a tellement de boutiques et de magasins français, sans compter l'Institut français, le Consulat, tout ça… Peut-être que je ferais mieux de ne pas prendre l'Eurostar* pour Paris tous les week-ends.

– C'est marrant que tu dises ça ! s'exclame Juliette. Je voulais justement en parler à Papa ! Je pense que nous devrions avoir plus de contacts avec des Anglais.

– Tu as sûrement raison, dit Marie. Ce n'est certainement pas dans les dictionnaires qu'on développe des contacts.

Marie ferme le dictionnaire et le pousse loin d'elle.

– C'est ça, dit Juliette. C'est pourquoi je viens discuter avec Papa d'un plan que…

Ni Juliette ni Marie n'entendent la porte du bureau du père de Juliette s'ouvrir.

Christian apparaît, des feuilles de papier à la main.

– Juliette, dit-il, qu'est-ce que tu fais ici, ma chérie ?

– Je viens te parler d'un projet, Papa, dit Juliette.

– Ça tombe bien, je veux te parler de ce dossier, dit Christian.

Marie se lève et met son manteau.

– Marie, demande Christian, avez-vous fini la traduction ?

– Monsieur Bernard, vous devriez vraiment écouter votre fille. Je suis d'accord avec elle. Le contact avec les Anglais ne passe pas par les livres ou par les papiers.

Marie appuie sur le bouton d'appel de l'ascenseur.

– Il faut sortir parmi les Anglais, ajoute-t-elle. Il ne faut pas rester enfermé dans la Petite France. Il faut avoir des contacts.

Marie entre dans l'ascenseur.

– Mais…, dit Christian, le dossier n'est pas encore terminé !

– Ça ne fait rien, M. Bernard. Vous pouvez le laisser sur mon bureau. Je vérifierai qu'il n'y a pas de fautes demain matin.

## Chapter 8
# *A hard lesson*

– Juliette dear, are you sure you want to do this? asks Daisy. I can talk to the White Tower Headmaster for you. I can tell Mr… Mr… what is his name?

Daisy is driving the Range Rover through the narrow streets of London. She takes her left hand off the steering wheel and rummages through her hand bag on the passenger seat.

– I'm sure I put the letter in my bag, says Daisy.

Juliette reaches out from the back seat to take the bag. She searches through it, handing a make-up bag, a brush and a checkbook to Chloé who is sitting next to her. Finally in an outside pocket of the bag she finds the envelope. Juliette unfolds the letter.

– The headmaster's name is Hardcastle, Daisy, she says.

– I can tell Mr. Hardcastle, says Daisy, that your father and I have changed our minds about the whole idea. I'm sure he would understand. And no one would blame you.

Juliette reads the letter for the tenth time:

*Dear Mr and Mrs Bernard,*

*I have consulted with Coach Crocker regarding your daughter's proposal to offer fencing lessons here at White Tower. Although he is not convinced that such lessons will be a great success at White Tower, he suggests that the fencing lesson take place in lieu of a rugby session. We are not equipped with fencing gear\* and therefore would require....*

Juliette folds the letter and puts it back into its envelope. Chloé takes it from her hand and tucks it into the front pocket of Daisy's bag.

Juliette turns in her seat and looks into the boot of the Range Rover. It is filled with rolled mats\* and sports bags stuffed with jackets, masks and gloves. Juliette has all the equipment she needs to run a fencing class but maybe Coach Crocker is right to doubt her ability to succeed.

Will she be able to make contact?

Daisy drives slowly into the White Tower car park. A stream of students exits the building. Only the sports teams: football, rugby and cricket stay after school for practice. Today, for the first time, rugby practice will be devoted to fencing. *IF* Juliette has the courage.

Daisy pulls into a parking space near the gym entrance. She turns in her seat to look at Juliette.

– You don't have to go through with this, Daisy says.

Juliette remembers how cold Joshua's eyes were at the market, how big William seemed in the Square during the Duel. She hesitates...

– We'll be fine Mrs. Bernard, says Chloé.

Juliette looks over at little Chloé. She has no fear and no doubts about herself. She doesn't always think before she speaks but she is always there when you need her.

– Thanks Daisy, but Chloé is right, says Juliette. We'll be fine.

Juliette stands on a bench in the center of the gym surrounded by a pile of equipment. She feels the gaze of Coach Crocker on the back of her neck. She knows he is standing by the door of the gym seeing what she is seeing and hearing what she is hearing.

Katie is at the climbing bars attached to the wall of the gym. She is executing ballet bends while singing at the top of her voice. It's a beautiful voice but very loud. Juliette tries to talk over her.

– Hey everyone! Juliette calls out. Could I have your attention please? If you help set up the mats we can start right away!

43

Jessica wanders in. Juliette is thrilled to see her stoop down and unzip a sports bag. She takes out a metallic jacket and looks it over.

*Finally someone who listens*, Juliette thinks, *maybe the others will follow.*

– Jessica has the right idea, says Juliette. Could you each come over and take some equipment?

William, Tom and David stop passing a rugby ball around the room to look at Jessica.

Jessica holds up the jacket for everyone to see. Then she meets Juliette's eyes and drops the jacket at Juliette's feet. Juliette watches in despair as Jessica walks over to join Katie.

The boys return to their rugby ball. They laugh and shout as they pass the ball. The noise level rises even higher as Jessica sings with Katie.

Juliette jumps down from the bench and drags a fencing mat away from the pile of equipment.

She and Chloé walk backwards to unroll the mat across the gym floor. The boys throw the rugby ball over Juliette and Chloé's heads and then form a scrum* right in the path of the mat. Juliette and Chloé bump into the scrum and have to stop with the mat half unrolled.

Juliette straightens up and turns to face William.

– I know you won't help, says Juliette, but could you at least stay out of the way?

– You are the one who is in the way, says William.

– Yeah, first you invade our neighbourhood, adds Tom, and now our school.

– We don't want you in our streets and we don't want you in our school, says David.

– All I want to do is teach a fencing class. You might like it, answers Juliette.

– We'll like fencing if we can use it in a real fight, says William.

– A fight against the French Lice, says Tom.

– This is to stop the fighting. Will you please get out of my way?

Juliette cannot prevent her voice from trembling.

– Get out of our way, says Tom.

– Go back to your own fancy school. We don't want you or your fencing lessons here, adds William.

Suddenly a whistle blows. The boys turn to face Coach Crocker.

– Yes, Coach, says William.

– All of you, play time is over. Get out on the field. Forty laps* – double quick time! says Coach Crocker.

The boys run for the door.

Coach Crocker turns to Juliette:

– These kids need to run off their energy at the end of the day. I can't have them wasting time in here doing nothing.

– Coach, if I could just get them started, I think they would like fencing, says Juliette who is close to tears now.

– *IF* you can get them to cooperate. That's a big if, he adds.

– Please, give me one more chance, pleads Juliette. It means a lot to me.

– I'm not really interested in what it means to you, Miss. I care about these kids and what is best for them, says the Coach. This is not about you.

Juliette stares at Coach Crocker. Is she here for the White Tower students or herself? She doesn't know the answer. She lowers her eyes. Finally he sighs.

– Okay, I'll give you one more chance.

Juliette looks up and smiles.

She sees Joshua standing behind the coach listening.

– But this is your last chance. I'm not going to let you waste the little time these kids have for sports. And frankly, adds the Coach, I don't think you can succeed.

Juliette sees that Joshua has broken into a big, unfriendly smile. He thinks the next lesson will be the last. He is happy she is failing.

### Chapitre 9
# *Touche !*

Chloé lève la main droite pour annoncer une pause.

Juliette jette un coup d'œil à l'horloge : 17 h 54.

*Six minutes,* se dit-elle.

L'entraînement a commencé aujourd'hui à 16 heures et se termine à 18 heures. Pendant une heure et cinquante-quatre minutes, elle a réussi à éviter Charlotte.

Ah ! L'horloge avance : 17 h 55.

*Cinq minutes,* Juliette pousse un soupir derrière son masque.

Chloé baisse la main. Juliette prend position.

– En garde, dit Paul.

– Oh non, se dit Juliette. Elle aperçoit Charlotte qui se faufile entre les pistes.

– Prêtes ? demande Paul.

Charlotte passe derrière son frère et se tourne face à l'une des cibles blanches au cœur rouge.

Juliette regarde l'horloge : 17 heures 56.

*Trop tard Charlotte,* se dit-elle. *Tu ne peux plus me demander de combattre aujourd'hui.*

– Allez, dit Paul.

Chloé et Juliette se lancent. Parade et riposte, *buzz, buzz.*

Paul lève la main du côté de Juliette.

– Quatre à quatre, dit-il.

Juliette et Chloé reprennent position.

– En garde. Prêtes ?

– Paul ! dit Charlotte. Tu fais bien attention que Juliette ne triche pas, j'espère ?

– Juliette ne triche pas, Charlotte, soupire Paul. Nous ne trichons jamais tu le sais bien. C'est contre le code. En garde, reprend Paul. Prêtes ?

– Mais il est bien évident que le code de White Tower n'est pas le même que le nôtre.

Il est 18 heures pile à l'horloge. Mais Juliette ne la regarde plus. Elle ne peut s'empêcher de répondre, bien qu'elle sache que c'est une erreur monumentale :

– Et ça veut dire quoi exactement ? demande Juliette.

– Tu passes ton temps à White Tower maintenant. Je me demande simplement si tu observes un code différent ? Je me demande si tu te mettras bientôt à boire de la bière, à porter trop de maquillage et des jupes trop courtes ?

– Non, Charlotte, j'enseigne l'escrime à White Tower, point final, dit Juliette. Alors tu laisses tomber, d'accord ?

– Oh ! Tu enseignes l'escrime. Je suis sûre que les Anglais adorent ça !

Juliette jette un coup d'œil à Chloé. Qu'est-ce qu'elle a encore raconté ? Chloé hausse les épaules, pour dire qu'elle n'y est pour rien.

– Ils sont très doués, Charlotte.

– Ce sont des modèles de discipline, j'imagine, ironise Charlotte.

Juliette rougit en repensant à la scène du gymnase de White Tower : l'entraîneur lui donnant une dernière chance pendant que les garçons jouent au rugby et que Katie et Jessica s'échauffent aux agrès*. Tant pis, pense-t-elle, Charlotte n'aura pas le dernier mot !

– Tu ne te rends pas compte, répond Juliette, mais le rugby et la danse sont de très bons entraînements pour l'escrime…

– Juliette, dit Chloé, tu sais…

Juliette jette un regard furieux à Chloé qui se tait.

– Chloé, dit Charlotte, ce n'est pas la peine. Juliette ne se rend pas compte que nous, nous Français, sommes ses vrais amis. Elle ne se rend pas compte qu'elle est comme nous, pas comme ces Anglais.

– Charlotte, dit Juliette, je ne serai jamais comme toi.

Chloé regarde Juliette droit dans les yeux. Les deux filles se sourient.

Charlotte se retourne face à la cible. Elle se met en position.

— Pour moi, il n'y a qu'une seule explication possible, dit Charlotte en effleurant le cœur rouge avec la pointe de sa lame. L'amour, dit Charlotte. Juliette a changé de camp à cause de l'amour. Elle veut être la *girlfriend* de Joshua.

— Ça suffit Charlotte, dit Paul.

— Désolé, petit frère. Mais fais bien attention. L'Anglais volera le cœur de Juliette et brisera le tien.

— J'en ai marre, dit Paul. Je m'en vais.

Juliette pose sa main sur le bras de Paul.

— Tu sais, Charlotte, un jour ton frère se libérera de toi. Un jour nous nous libérerons tous de toi et nous aurons les amis que nous voulons. Et ça te fait peur !

Charlotte frappe violemment le cœur de la cible.

Elle fait face à Juliette.

— Tu vas regretter de nous avoir abandonnés. Nous sommes tes vrais amis, pas les Anglais. Ils te trahiront, je t'assure.

— Tu as tort, dit Juliette.

— On verra bien, dit Charlotte qui regarde par-dessus l'épaule de Juliette. On verra bien.

Charlotte sourit et crie :

— Maître Caroline, avez-vous entendu la nouvelle ?

Juliette et Chloé se retournent et voient maître Caroline qui s'avance vers eux.

— Quelle nouvelle ? demande-t-elle.

— Juliette a trouvé des escrimeurs formidables dans le quartier, dit Charlotte.

— Excellente nouvelle, Juliette, dit maître Caroline.

Juliette sourit, gênée.

— Juliette est modeste, dit Charlotte. Elle ne veut

pas se vanter. Mais je peux vous dire qu'elle enseigne l'escrime à White Tower bénévolement et…

– Bravo, Juliette. C'est exactement ce qu'il faut faire, dit maître Caroline.

– Ce n'est pas tout, maître, dit Charlotte. Les Anglais sont paraît-il formidables. J'aimerais bien les voir en action.

– Charlotte, je suis contente que tu prennes cette initiative au sérieux, dit maître Caroline.

– Très au sérieux… et ça m'inspire ! Charlotte joue l'innocente. Si nous invitions les Anglais à une compétition ?

– Une compétition ? murmure maître Caroline. Humm, je ne sais pas.

– Mais non, dit Juliette. Ils ne sont pas prêts à faire une compét'.

– Juliette, ne sois pas modeste. Tu viens de me dire qu'ils sont doués !

– Ah ! s'exclame maître Caroline. Une rencontre amicale. Un tournoi* d'escrime !

– C'est cela, dit Charlotte. C'est exactement ce qu'il faut.

– Vous savez, ça fait longtemps que je pense à établir un club d'escrime dans le quartier. Un match amical serait un bon début, dit maître Caroline. Je vais m'en occuper tout de suite. Il me semble que la soirée de présentation des classes serait la meilleure occasion. Il va y avoir beaucoup de choses à organiser.

– Mais… maître, dit Juliette. C'est bien trop tôt !

– Ne t'inquiète pas Juliette, dit maître Caroline. Je m'occupe de tout. Tu n'as qu'à continuer ton travail à White Tower. Je suis vraiment fière de toi. Quant à toi Charlotte, je suis tellement contente que tu fasses preuve d'un tel esprit d'ouverture !

– Merci, maître, dit Charlotte.

– Mais maître, proteste Juliette. Maître !

Maître Caroline n'écoute plus. Elle traverse la salle en criant :

– Charles ! Charles ! As-tu un instant ? Je veux te parler !

Charles se retourne. Maître Caroline se penche pour parler au jeune maître d'armes.

## Chapter 10
# *Last chance*

Juliette stares in amazement as William, Tom and David rush to the boot of Daisy's car to unload the equipment.

When the last mat and the last bag are gone from the car's boot, Juliette closes the door. Daisy reverses the car carefully and gives Juliette a cheery wave in the rear view mirror before heading out of the car park. Juliette waves back with a big smile on her face.

Juliette's smile fades when she enters the gym. The boys unroll the mats, crisscrossing one over the other in a big pile.

William looks up with an innocent look on his face and says:

– Almost finished setting up, Mademoiselle.

– Oui, oui, Mademoiselle, echo Tom and David.

Katie and Jessica drag the bags of breeches*, jackets and masks to the gymnastics area. Katie rolls a blue mat into a tight cylinder then stands it on end. Jessica dresses it in a metallic jacket wrapping the wire round and round to keep it in place while Katie pops a mask on top of the mat.

The two girls stand back to admire their creation. Then Katie turns on her heel and runs gracefully across the floor. When she passes in front of Juliette she cries out:

– Bonjour, bonjour, Mademoiselle. Do you like our new fencer? He is dressed in blue. You will not find a braver fencer: he's tough as a punching ball!

Juliette watches as Katie glides over to the door to the hallway and the changing rooms

where the boys piled the foils. Katie bends over from the waist and chooses a foil from a pile. She runs back to the "punching ball" and tucks the foil under the wire.

Jessica calls out to Juliette:

– Voilà! Voilà! Mademoiselle! Monsieur Punching Ball has a sword*!

William, Tom and David laugh. The noise in the room is rising.

She remembers Coach Crocker's warning: *This is your last chance. I'm not going to let you waste the little time these kids have for sports. And frankly, I don't think you can succeed.*

Juliette remembers Joshua's cold smile. He wants

her to fail. He wants her to give up. But she will not. Juliette climbs onto a bench in the middle of the room.

– Hey, she yells over the noise. Please listen for a minute!

Everyone turns to her. They all call out in unison: "Oui, oui, Mademoiselle!"

– I have an announcement to make. Some news that…

A very low voice interrupts her. "Oui, oui, Mademoiselle" it says.

Everyone turns to Monsieur Punching Ball whose sword is now waving in the air. Jessica pops out from behind him and says:

– I thought Monsieur Punching Ball should be polite.

Even Juliette has to join in the laughter.

– I have some news that you might want to hear. Even Monsieur Punching Ball might be interested, says Juliette nodding to Jessica, Katie and the "Punching Ball".

– Oui, says Jessica in a low voice with a French accent, I am verrry, verrry interested.

– I thought you would be, Monsieur Punching Ball. We are invited to a competition at the Lycée.

– At ze Lycée! Mais non! says Jessica/ Punching Ball, we cannot go. We will be, how you say, guillotined!

– No, Monsieur Punching Ball, this is a friendly competition. An exhibition, really.

– Ah, says Jessica/Punching Ball, but mes chers amis, can we be friendly with ze LICE?

– Mais non, non, non, cry William and the others.

– We can show them how good you can be, Juliette shouts over the noise. I know we can do it…

– NO LICE! NO LICE! yell the English kids. They stamp their feet in rhythm.

Juliette doesn't know what to do.

Suddenly a piercing whistle blows. Juliette whirls around while the noise subsides. Coach Crocker stands in the doorway.

– Miss, he says to Juliette, I need to speak to you, please.

Juliette gets off the bench and slowly crosses the room. *This is it,* she thinks.

Coach Crocker calls out to the boys:

– You, you and you. Twenty-five push-ups each. NOW!

Juliette stands near the door to the hallway, next to the pile of foils, her back against the wall. Coach Crocker is facing her.

– Look, I know this is important to you, says the Coach, but I have to think of these kids.

– I'm thinking of them too, says Juliette. They could be really good. I know I can show everyone…

– This isn't about what you can show people, says the Coach. These kids are not here to make you look good. They will live here all their lives. They will be here long after you are gone and have a good job somewhere exotic and exciting.

– I'm not here as a tourist, says Juliette.

Is she imagining it or did she hear someone laughing? Juliette looks at the doorway to the hall but she sees no one.

– Miss, I'm sorry but this is the end. I'm not going to let you waste anymore of their time, says Coach Crocker.

Juliette definitely hears something coming from the hallway. She just knows it's Joshua.

The Coach turns to look at the boys who are still doing their push-ups. Juliette looks at the doorway. She can't see anyone. *He is probably hiding behind the door in the hallway, eavesdropping*, she says to herself. *The coward! Let him listen to this then!*

– Coach Crocker, Juliette calls out. You said I could have one more chance, one more session.

The coach turns as Juliette holds up her watch.

– The session isn't over yet, she says. I have fifteen more minutes to go. And I'm going to use every one of those minutes to teach these kids to fence. Not just for me and not just for them but for all of us!

Coach Crocker shakes his head but Juliette can see a little smile on his face.

– Okay, he says, a deal is a deal. Fifteen minutes more. You have guts that's for sure, he mutters as he goes through the gym door.

Juliette watches him leave. With him goes all her bravado. She sinks onto the floor next to the pile of foils. She puts her head into her hands.

Holding back tears she doesn't hear light footsteps approach. She doesn't see Joshua notice that her shoulders are shaking. She doesn't see that his blue eyes are no longer cold as he looks at her. She doesn't see his hand reaching to touch her on the shoulder.

– Joshua! William calls out as he crosses the room.

Juliette looks up. Joshua's hand drops to the pile of foils and scoops one up. Juliette just catches a glimpse of his face as he pivots and throws the foil to William who manages to catch it by the hilt*.

Joshua yells:

– SCRUM!

Everyone, both boys and girls, arrange themselves

in a rugby scrum in the center of the room. Juliette raises her head and slides up the wall to her feet. Slowly she walks toward the group. She doesn't really pay attention when William challenges Joshua. She has heard it all before.

– Why, William says, why should we cooperate with the French Lice?

Joshua answers:

– It might come in handy one day.

She doesn't see William's smile when he says:

– Are you saying what I think you're saying? Are you saying that swords are better than umbrellas for a fight?

She hears Joshua answer:

– I never said that, did I?

Juliette only half listens to Joshua and William, not really trying to understand what they are on about.

But… there is one thing she knows for sure: when the scrum breaks everything changes.

The mats are arranged in precise rows. The fencing equipment is laid out in neat piles.

Only Monsieur Punching Ball remains the same to watch over the very first fencing lesson at White Tower Comprehensive.

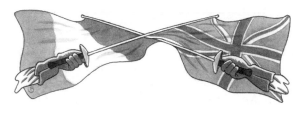

### Chapitre 11

# *À double tranchant*

Juliette repousse son café et son croissant. Soigneusement, elle essuie la table, effaçant toute trace d'humidité. Puis elle sort l'invitation de son sac et la place sur la table.

Le carton est divisé en deux et s'ouvre comme deux grandes portes. La porte gauche est celle de White Tower, la porte droite est celle du Lycée français. Deux fleurets se croisent exactement au milieu du pli.

Juliette relit l'invitation, bien qu'elle la connaisse par cœur en français comme en anglais.

| | |
|---|---|
| *Bienvenue*<br>*Les parents et étudiants*<br>*du Lycée français*<br>*sont invités*<br>*à un tournoi amical*<br>*d'escrime.* | *Welcome*<br>*White Tower Students*<br>*and Parents*<br>*are invited*<br>*to a Friendly Exhibition*<br>*of the Art of Fencing.* |

En ouvrant les deux volets, tous les détails, la date, le lieu, les noms des participants, tout est là. Et, ce qui plaît particulièrement à Juliette, c'est Monsieur Punching Ball, tout petit, dans un coin de l'invitation avec une bulle disant : *Je n'y manquerai pas ! I wouldn't miss it !*

Chloé et Jessica ont fait un travail formidable pour préparer le tournoi. Elles ont tellement de choses en commun ! C'est Jessica qui accompagne maintenant Chloé dans ses découvertes sur les marchés de Londres. Étrangement, l'anglais de Chloé ne s'améliore pas pour autant. Elles semblent avoir trouvé une langue pour elles seules.

Juliette se répète qu'elle n'est pas du tout jalouse ! Ou pas vraiment et puis ça passera. Décidément, elle ne veut pas être comme Charlotte qui semble avoir vraiment peur du rapprochement des Anglais et des Français. Elle n'est pas du tout contente que son idée de compétition amicale soit vraiment en train de se réaliser. À l'entraînement il y a deux jours, elle a fait une scène lorsqu'elle a perdu un match contre Paul. Maître Caroline a été obligée de la faire sortir du gymnase !

Aujourd'hui, en revanche, réfléchit Juliette, Charlotte était de très bonne humeur. Est-ce mauvais signe ? Mais non, se raisonne Juliette, il est trop tard pour que Charlotte soit nuisible. Après tout il reste moins d'une semaine avant le tournoi. Plus de huit semaines se sont écoulées depuis la première leçon d'escrime à White Tower. Huit semaines d'entraînement intensif. Coach Crocker a même sacrifié une deuxième session de rugby.

Et huit semaines de découverte pour Juliette. Elle a vu les Anglais se lancer corps et âme non seulement dans l'entraînement mais aussi dans la préparation d'un *show* pour la soirée. Katie a mis au point la chorégraphie et Tom, qui est un génie de la technologie, a préparé le son et la lumière. Papa a même fourni un rétroprojecteur et prêté son ordinateur portable pour la mise en scène.

Huit semaines de camaraderie et de fous rires. Huit semaines d'amitié enfin. Difficile de croire que le temps passe si vite, pense Juliette. Elle lève la tête et regarde par la fenêtre du café.

Les arbres de la place du Duel forment une image en rose et blanc. On ne voit presque plus la cabine téléphonique tellement les buissons et les fleurs ont poussé. Juliette se souvient de la même place le jour du duel : arbres dépouillés, buissons sans feuilles.

*Oui*, pense-t-elle, *beaucoup de temps a passé et beaucoup de choses ont changé. Joshua, par exemple…*

La tête de Chloé apparaît à la fenêtre. Et presque aussitôt la porte du café s'ouvre.

— À quoi rêves-tu ? demande Chloé en s'asseyant à la table et en posant un sac sur une chaise vide.

— À rien, rien du tout, dit Juliette. Elle tend l'invitation à Chloé. Tu as vu ? C'est super, non ?

— Tu me l'as déjà montrée, Juliette, dit Chloé. Mais, qu'est-ce que tu as ?

Chloé se penche vers Juliette.

– Je n'ai rien du tout. Je t'assure, insiste Juliette.

– Bon d'accord, dit Chloé. Tu ne dis rien. Mais moi j'ai quelque chose à te dire. Ou plutôt, ajoute-t-elle, j'ai quelque chose à te montrer.

Chloé fouille dans le sac en plastique sur la chaise à côté d'elle. Elle en sort deux magazines de mode qu'elle place sur la table, puis, du fond du sac, un tissu bleu et chatoyant.

– Qu'en penses-tu ? demande Chloé, une note de triomphe dans la voix.

– C'est joli, dit Juliette.

– C'est tout ce que tu as à dire ? demande Chloé. C'est un tissu extra et pas cher du tout. Tu ne crois pas que Miss Intégration serait ravissante dans un tissu pareil ?

Juliette rit :

– Vous créez une Miss Intégration ?

– Bien sûr, dit Chloé. Jessica a raison, Monsieur Punching Ball ne peut pas être notre seule mascotte* ! Il nous faut aussi une escrimeuse.

– Absolument, dit Juliette.

– Mais regarde, dit Chloé en tenant le tissu près de la fenêtre. Tu vois, la couleur change…

– Ah oui, dit Juliette en s'approchant. Parfois c'est bleu pâle et parfois….

Juliette s'arrête net.

Chloé ajoute :

– C'est ça. Ça change avec la lumière…

Mais Juliette n'entend plus le bavardage de Chloé. Elle regarde par la fenêtre : Charlotte traverse la rue en direction de la place du Duel. La place aujourd'hui fleurie et ensoleillée. Charlotte se dirige vers la cabine téléphonique où l'attend, réalise Juliette dans un sursaut… Joshua !

– Juliette ! Juliette ? Mais enfin, qu'est-ce que tu as aujourd'hui ? demande Chloé.

Juliette ne sait pas exactement pourquoi mais elle ne veut rien dire à Chloé. Elle prend le tissu bleu en main et répète qu'il est superbe.

Chloé le replie et Juliette jette un coup d'œil par la fenêtre. Charlotte et Joshua sont toujours là.

Juliette se demande ce que tout ça veut dire. Est-ce à cause de ce rendez-vous étrange que Charlotte était si souriante aujourd'hui ? Et Joshua ? Bien qu'ils se parlent tous les jours il n'a rien dit. Pourquoi ?

Tout à coup Juliette se souvient des mots qu'elle a entendus mais pas vraiment compris le jour du *scrum*, le jour où Joshua s'est rangé du côté de Juliette et a convaincu William, Jessica, Katie et les autres de coopérer. Joshua a dit : *It might come in handy one day. Ça pourrait être utile un jour.*

Et Juliette se souvient que William a répondu par une question : *Are you saying that swords are better than umbrellas for a fight ? Est-ce que tu veux dire que des fleurets sont de meilleures armes que des parapluies ?*

Est-il possible que, pendant ces huit semaines d'entraînement, de travail, de fous rires, Joshua n'ait fait que se servir d'elle pour préparer les Anglais à un vrai duel ?

## Chapter 12

# *Eavesdropping: a bad habit*

Juliette doesn't dare look again out the window of the café. She is afraid that Chloé will notice. But she has to look out the window. She has to know what is going on.

– Chloé, I'm getting a coffee, Juliette says without even realizing that she is speaking English. Do you want one? she asks.

– A coke for me, responds Chloé falling into English as well.

She searches her pockets for money.

– Don't worry. My treat, says Juliette as she walks towards the counter of the café.

Juliette leans on the counter and stares out the door. She can just see the street and a small section of the square. She can't see Joshua or Charlotte. *What are they doing*, she asks herself. *Are they still there? Or have they left? What are they planning?*

Suddenly Juliette remembers what Joshua said to Coach Crocker just last week.

Juliette and the others were unloading the equipment from Daisy's car, as usual.

He turned to Coach Crocker and said: *Hey Coach, can't we find a space to keep this stuff here? It would be a lot easier and we could practice whenever we had time.*

Coach Crocker agreed and Juliette remembers how grateful she had been for Joshua's suggestion.

*What if,* Juliette mutters to herself, *What if it was just a trick to have the foils and other equipment on hand for a fight?*

– Sorry love, says the barman, what did you order?

Juliette turns to the door and opens it.

As the door closes behind her she can hear the barman calling out to her,

– Everything all right, love?

Now she is in almost the exact same spot as on the day of the duel. And as if in some kind of strange "instant replay" where the scenery changes but the action remains the same, she can see Paul running towards the square just as he did on that rainy day months ago.

Juliette follows but from the opposite side of the street. She is sure that Paul did not see her. She looks quickly to the square. Charlotte is gone but Joshua is still there.

*Why is Paul running? Is he late for the meeting?* Juliette asks herself. *No, I cannot believe that Paul is part of one of Charlotte's plots; one of Charlotte's and Joshua's plots she should say.* Or is she just naïve and stupid to believe in Paul? Just as she had been naïve and stupid to believe in Joshua.

She remembers the mocking words of Charlotte: *Les Anglais te trahiront, c'est sûr. The English kids will betray you for sure.*

Juliette walks along the wrought iron fence of the

square. Without thinking she passes quickly from tree to bush to tree so that Joshua and Paul will not see her.

Now she is behind the square at the opposite end from the café. She approaches the telephone cabin keeping it between her and Joshua and Paul.

Creeping closer she hears Joshua say to Paul:

– Don't worry mate. We were never going to let her use us.

Juliette comes even closer and stops. A woman passing by slows her pace to look at her. Juliette crouches down to take off her shoe. She pretends to shake a pebble out of it. The woman picks up her pace and passes but Juliette misses the end of the conversation. Paul is leaving.

*What difference does it make, she thinks. I've heard enough!* We were never going to let her use us. *It's not just the words, it's the tone of voice: what contempt! As if she ever had the least intention of using the English kids! They were the ones using her and conspiring with Charlotte to do it! How could she have trusted the English? How could she have trusted Joshua!*

Without even putting her shoe back on Juliette hops over to confront Joshua. In her anger Juliette cannot see Joshua's surprised smile. When he tries to speak, she holds up the hand with the shoe and shakes it at him.

– Tu n'as pas le droit de parler de moi de cette façon ! Juliette forgets to speak English. C'est toi qui t'es servi de moi !

Joshua's smile fades.

– Je veux dire… I mean… you have no right to speak of me in that way, she says. You are the one who is using me. And after all I've done…

– Stop. Stop, says Joshua holding up his own hand. No need to translate. I understand what you are saying. I understand everything. Tu es bilingue ? Tu parles deux langues, n'est-ce pas ? But do you understand either of them?

– Mais tu parles… you speak French, says Juliette amazed.

– Big surprise, n'est-ce pas ? says Joshua.

68

Juliette can find nothing to say. Joshua turns to go.

— Wait, says Juliette. I had no idea.

— You are shocked, aren't you? Joshua laughs bitterly. You don't know anything about us. You think it's impossible for someone like me to be bilingual. You think you are doing us a big favour by coming to White Tower. You said you are not a tourist in a zoo but underneath all your "friendship" that's just what you are. You don't trust us. You think we are wild animals.

— I'm really sorry, says Juliette. How... how did you learn French?

— I'm good at languages. Always have been. My mother says it's because I have a good ear. I'm a good listener. So they sent me to French classes on Saturdays. Took me to France whenever they could. It costs a lot of money. A lot of money for them. Not for people like you.

Joshua turns and starts to walk away.

— I should have listened to what you had to say, calls out Juliette.

Joshua stops and then slowly turns to walk back to Juliette.

— Yes, you should have listened, he says. You are right about that but you are wrong about everything else.

Juliette can hear the contempt creep back into his voice.

Juliette puts her hand on Joshua's arm.

— Je suis desolée, Joshua, says Juliette. I'm really, really sorry. I don't know...

— No. You don't know. You haven't a clue. But if you think you can listen for a minute I'll tell you all about it. Charlotte is trying to make trouble. She is proposing a real duel between the French and the English kids. And not a friendly duel, believe me.

– I knew it, Juliette bangs her shoe against the telephone cabin. She's been too happy lately!

– It is supposed to happen here. Joshua continues. Where it all started, so to speak.

– She is unbelievable, cries out Juliette.

– William is tempted by the idea. But Paul and I are making sure it never happens.

– So, there will be no duel? asks Juliette.

– What do you think? asks Joshua.

Then he looks down to where her hand rests lightly on his arm. And with contempt dripping from his voice he adds:

– Qu'est-ce tu en penses?

Juliette lifts her hand from his arm as if his shirt had turned red hot. In a small voice full of hurt and self reproach, Juliette asks:

– And the Fencing Friendly at the Lycée is off too, isn't it?

– Qu'est-ce tu en penses? repeats Joshua before turning and walking off.

### Chapitre 13

## *Contact perdu*

– Juliette ? Juliette ! Chérie !

Daisy l'appelle depuis l'entrée de la maison.

Juliette sort de sa chambre, laissant la porte entrouverte. Des bribes de musique lui parviennent dans le couloir qu'elle suit jusqu'en haut de l'escalier.

– Ah, te voilà. Je sors faire quelques courses, dit Daisy, mais je serai de retour pour t'emmener à White Tower.

Juliette ouvre la bouche mais pas un son n'en sort. Elle imagine la scène qui l'attendra avec Daisy devant le gymnase. Joshua, William, Katie, Tom, Jessica et les autres alignés devant la porte face au parking. Ils siffleront, peut-être ou pire encore, ils se mettront à faire le *slow clap*, une forme d'applaudissement par lequel un public marque son mépris en battant des mains dans un rythme délibérément lent. Juliette a vu, à la télévision, des politiciens anglais se faire *slow clapped* : c'était drôlement humiliant pour eux.

– À tout à l'heure, chérie, dit Daisy en ouvrant la porte de l'entrée.

– Attends ! Attends Daisy, Juliette retrouve sa voix.

Daisy se retourne.

– Je… hum. Je n'ai pas besoin…, balbutie Juliette. C'est-à-dire que… Je veux arriver à White Tower un peu plus tôt, aujourd'hui.

– Mais bien sûr, dit Daisy. C'est la dernière séance avant le tournoi.

– Oui, oui, dit Juliette. C'est ça. Alors…

Daisy regarde sa montre.

– Tant pis, dit-elle, je peux faire des courses plus tard ou même demain. Rien ne presse…

– Non, crie Juliette. Non, il faut que tu fasses tes courses.

– Mais chérie, ça ne me dérange pas du tout.

Daisy ferme la porte. Elle pose les clefs de la maison sur la table de l'entrée.

Juliette descend l'escalier à toute vitesse. Elle attrape les clefs.

– J'insiste, dit-elle en tendant les clefs à Daisy. Va faire tes courses. Je vais à White Tower à pied. Ça me donnera le temps de réfléchir aux derniers détails du tournoi. Et ça me fera du bien.

Elle prend son sac, descend sur le trottoir et commence à marcher en direction de White Tower. Arrivée au coin de la rue, hors de vue de Daisy, elle s'arrête. Elle ne sait pas du tout où elle va.

Une heure plus tard, et bien qu'elle ne sache pas exactement comment elle y est arrivée, Juliette se retrouve longeant le mur qui entoure White Tower.

Elle entre par le portail et traverse le parking pour se rendre directement au gymnase. Il faut absolument qu'elle parle à Joshua.

En ouvrant la porte elle entend la musique que Katie et Tom ont choisie pour le son et lumière du tournoi.

Juliette reprend espoir. Joshua lui aurait-il pardonné ? Lui viendra-t-il en aide comme il l'a fait il y a huit semaines ?

Elle entre dans le couloir et se retrouve face à William. Juliette perd espoir.

– Hi ! William, dit Juliette en essayant de passer.

William se met entre elle et la porte de la salle du gymnase.

– Non, non, non, dit William.

– William, please, I…, dit Juliette.

– No French Lycée, interrompt William.

– William, s'il te plaît…, commence Juliette d'une voix qui tremble imperceptiblement.

William fouille les poches de son sweat et en tire un papier. Il le déplie et lit à haute voix :

– Va-t-en.

William lève les yeux du papier et un sourire illumine son visage. Puis aussi soudainement il s'éteint.

– Va-t-en, répète-t-il.

Juliette, sentant que les larmes ne sont pas loin, se retourne et marche rapidement vers la porte. Une fois la porte franchie, elle se met à courir. Son sac à dos sautant à chaque pas, elle court pour traverser le parking, elle court dans la rue, elle court jusqu'à ce qu'elle perde haleine, jusqu'à ce qu'elle doive s'arrêter, pliée en deux par un point de côté.

Assise à sa table préférée au café face à la place du Duel, Juliette boit son deuxième grand verre d'eau minérale.

L'horloge au-dessus du comptoir marque dix-huit heures : il y a de fortes chances pour que Michael soit dans sa chambre. Juliette tend le bras pour prendre son sac. En sortant son ordinateur portable*, l'invitation pour le tournoi, toute froissée, tombe par terre. Juliette la ramasse et la pose sur la table. Elle ouvre le portable et commence à taper :

∴

Michael,
Tout va bien? Moi, je…

∴

Ses mains restent suspendues au-dessus du clavier. Que dire à Michael ? Elle regarde l'invitation, la prend en main et la défroisse. Elle a déjà gâché le tournoi, va-t-elle aussi perdre l'estime de Michael, à laquelle elle attache tant de prix ?

Elle replace l'invitation sur la table et repositionne ses mains au-dessus du clavier.

Tant pis. Elle a fait une bêtise. Il faut dire la vérité.

∴

Michael,

Tout va bien ? Moi, ça ne va pas trop. J'ai fait une grosse bêtise en accusant Joshua de quelque chose qu'il n'aurait jamais fait.

Juliette

∴

La réponse ne se fait pas attendre.

∴

Juliette,

Désolé. Mais, ce n'est pas grave. Après tout, l'erreur est humaine !

Michael

∴

Mais ce n'était pas qu'une erreur, c'était une injure ! Je ne lui ai pas fait confiance, ça l'a vexé. Et maintenant tout est gâché. Les Anglais ne participent plus au tournoi.

∴

C'est vraiment dommage ! Qu'est-ce que Christian et Daisy ont dit quand tu as annulé ?

∴

Rien. Je n'ai pas annulé.

∴

Comment ça ? C'est après-demain. Il faut avertir les organisateurs !

∴

Non, je ne peux pas annuler comme ça. Si je le fais, on va dire que c'est la faute des Anglais. Qu'on ne peut pas se fier à eux. Non. J'ai bien réfléchi et je vais faire une annonce le soir même. Comme ça il n'y aura pas de rumeurs.

Juliette, ça va être dur !

∴

Tu m'as dit une fois qu'il faut enlever le masque. C'est ce que je vais faire.

∴

Je suis fier de toi, little sister. Si seulement je pouvais être là pour toi. Je serai là pour toi…
Michael

∴

Oui, je sais.
Juliette

Juliette ferme l'ordinateur. *Je sais Michael. Tu es toujours là pour moi – toujours là dans mon cœur,* chuchote-t-elle.

## Chapter 14
# *No escape*

Juliette walks briskly in the soft spring evening. She has no time for the flowering trees and the brightly coloured flowers planted in window boxes or in the tiny front gardens of the town houses. She doesn't see the beauty of the blue sky and the drifting white clouds.

Neither does Juliette see the amused glances of the people passing her on the street. They smile at her as she walks with her head down practising the speech

she will give tonight. The speech explaining why Joshua and the others are not participating in the Fencing Friendly. The speech explaining why it is all her fault.

*I wanted to make contact with students outside of the Lycée,* she mutters. *But I didn't have enough faith, enough trust, in them or in myself to be successful,* pour faire une touche, *to win.*

Juliette can just imagine Charlotte's smirk when she says that!

*That's just too bad,* Juliette reminds herself. *It's your own fault and you have to face up to it.*

Juliette is rushing through the Square of the Duel. She checks the time: 7:27! She has only three minutes to get to the Lycée.

Juliette quickens her pace. She still does not understand what happened to Daisy and Papa. They had been acting funny all day: mysterious phone calls and a strange need to take all of Michael's spare clothes to the dry cleaners. But that still did not explain why they had to leave for the Lycée so early. Or how they could have left without her!

Juliette checks her watch again: 7:28 now, but she is at the gates of the Lycée. She slows a little and takes a deep breath as she climbs the stairs. Nobody is in sight. Everyone has already entered the auditorium.

Just inside the door, Juliette stops, smoothes down her jumper over her trousers and tucks her hair behind her ears.

– Ouch! she says, as her watch catches on a strand of hair.

– Oh, let me help, says Marie, appearing suddenly as if she had been hiding behind the door waiting for her.

– Marie, qu'est-ce que..., squeaks Juliette in surprise.

– No! No French. We have to speak English. How else will we make contact? says Marie as she quickly untangles Juliette's hair from her watch.

– Oh… right, says Juliette. But what are you doing here?

– You don't sound very happy to see me, Juliette, says Marie pretending to be hurt.

– That's not what I meant, Juliette assures her.

– I know, Marie laughs. I had to come. Your father has an announcement to make about his project and I want to be sure there are no "fautes d'anglais".

Over Marie's shoulder, Juliette sees the door to the auditorium open and a young man dressed in white step quickly into the hallway.

Marie turns at the sound and blocks Juliette's view.

– Marie, says Juliette, trying to see around the secretary, I thought that was Michael!

– Don't be silly, replies Marie. Michael is at school. Miles away, Marie adds, as she takes Juliette by the arm. I think we should go in now. We'll be late.

– I've got to go backstage*…

– Too late. It would be rude….

Somehow Marie has wedged Juliette in the middle of the row between Daisy and Papa. She can't move from her spot and does not know how she'll get up on the stage to make her little speech. Climbing over rows of people was not part of the plan!

– Daisy, Juliette whispers to her stepmother. I need to…

Mrs. Gilchrest, the English teacher, comes out on the stage.

– Shhh, Juliette, replies Daisy. Don't be rude…

Juliette gives up and sinks into her seat.

– Good evening and welcome to the Lycée. My name is Mrs. Gilchrest. I teach English, here, at the Lycée and in honour of our guests from White Tower I've been asked to open the ceremonies with a few words in English. But tonight is truly a bilingual and bi-cultural evening so all the introductions and presentations whether in French or English will be translated on the screen that is lighting up over the stage.

Everyone in the audience applauds as a large screen lights up with the speaker's face over the text of her speech translated into French.

Juliette sits up a bit straighter. That was Tom's idea! Juliette remembers him talking to Papa about how it could be done and what kind of equipment would be needed. She looks over at her father who is clapping and beaming a big smile at the screen.

*Good for Tom,* Juliette thinks. *I'm going to give him the credit for that when I speak.*

Suddenly shouting and thumping is heard coming from backstage. Charlotte's head comes thrusting through the curtain and then just as suddenly disappears again!

The audience laughs. Juliette sinks back into her seat once more. Mrs. Gilchrest smiles:

– The students are very excited! And that is not surprising. We have a very special sporting demonstration tonight. To tell you all about it let me introduce maître Caroline who coaches the girl fencers here at the Lycée français.

While the audience applauds politely, maître Caroline, in full fencing gear, comes out onto the stage.

– Thank you very much, she says in an adorable French accent. I have no speech prepared. I thought only to introduce to you my student and the captain of the girls' fencing team here at the Lycée français. But Juliette appears to have been delayed…

Juliette can feel herself being raised from her seat.

Papa on one side and Daisy on the other have taken her arms and are lifting her to her feet.

– Juliette is here, shouts Papa. Here she is!

Juliette has only one wish at that moment: to disappear from the face of the earth! Instead she has to climb past Daisy, Marie and a row full of strangers, saying *Excuse me, pardon, excuse me, pardon, excuse me,* until she reaches the aisle.

Then while all eyes turn to her she walks up the aisle to the stage stairs. One after the other she climbs the stairs. For a brief instant Juliette thinks about crossing the stage and disappearing into the wings. But maître Caroline comes to her side, takes her firmly by the arm and walks her back to the microphone.

Juliette turns to watch the maître d'armes retreat behind the semi-transparent curtain drawn across the stage.

She looks up to the translation screen hoping for some inspiration. The letters *Juliette Bernard* run across the screen, disappearing off the right side as if trying to escape, only to reappear on the right hand side again. That is the message: there is no escape.

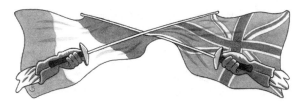

## Chapitre 15

# *Le tournoi*

Juliette sait que son nom défile sur l'écran au-dessus de la scène. Elle sait que tout le monde attend qu'elle parle. Mais curieusement elle n'en ressent pas l'urgence.

Pendant qu'elle surveille la salle, les lumières baissent lentement. Ça ne la surprend pas ; elle se souvient que Tom a raconté à Papa son projet de démarrer le tournoi d'escrime de cette façon. Comme Tom n'arrivait pas, Papa a dû donner des instructions au technicien, pense Juliette. En ce qui concerne le reste du programme pour la soirée, la musique qui doit commencer doucement pendant l'introduction, les lumières qui s'intensifieront derrière le rideau translucide : tout cela est resté secret, ce qui fait que Papa et les autres ne doivent pas se poser trop de questions sur l'absence des Anglais. Ils doivent penser qu'il y aura très bientôt, peut-être à ses premiers mots, une entrée spectaculaire !

*Désolée de te décevoir Papa*, pense Juliette en essayant d'apercevoir son père dans la salle obscure. Elle n'arrive pas à le voir mais elle continue à regarder dans sa direction quand elle se met, enfin, à parler.

– Bonsoir, je m'appelle Juliette Bernard, dit-elle.

Ce soir, j'ai quelque chose de très spécial à vous…

Tout à coup le public se met à applaudir.

– Merci, dit Juliette, surprise. Merci.

Lentement, la musique que Tom et Katie ont choisie commence à emplir la salle. La salle applaudit plus fort.

Le projecteur dirigé sur Juliette baisse. Tout se passe exactement comme prévu dans le programme que Tom, Joshua, Katie, enfin tous ses amis, ont imaginé ensemble. Un frisson court le long de son dos quand les projecteurs illuminent le rideau de scène. Elle se retourne lentement. Elle a tant rêvé de ce moment, pendant les heures d'entraînement, au cours des répétitions, ponctuées de fous rires, elle a tellement cru à l'amitié avec les Anglais. En verra-t-elle le couronnement ?

Oui, c'est exactement ce qu'elle voit. Et c'est si beau : les ombres des escrimeurs se détachent sur le voile translucide dans la chorégraphie créée par Katie et Jessica.

Et en jetant un coup d'œil en haut du rideau, elle voit que les mots *Bienvenue au Tournoi amical d'escrime – Welcome to the Fencing Friendly* semblent danser eux aussi sur l'écran. Ensuite les noms des participants défilent : Paul, William, Charlotte, Joshua, Chloé, Katie, Jessica, Tom et tous les autres sont là. Juliette lit les noms comme si chacun d'entre eux était un message d'amitié. Et puis, au moment où le rideau s'ouvre, le dernier nom court sur l'écran : Michael ! Son frère est là, au centre de la scène, en tenue d'escrime et prêt à présider les combats entre l'équipe de White Tower rangée à gauche avec Monsieur Punching Ball et l'équipe du Lycée français rangée à droite avec Miss Intégration.

Michael enlève son masque et fait un clin d'œil à Juliette. Elle se souvient des derniers mots de son e-mail :

*Je serai là*. À ce moment-là elle ne savait pas à quel point sa propre réponse était vraie : *Tu es toujours là pour moi.*

C'est Michael, donc, qui a convaincu les Anglais de participer ce soir. C'est Michael qui a tout arrangé. Et Daisy, bien sûr, qui a réussi à retrouver la tenue d'escrime de Michael parmi tous ses vêtements destinés au pressing ! Et Papa qui a fait en sorte qu'elle soit obligée de venir à pied, arrivant presque en retard. Et Marie qui l'avait retenue en otage dans le couloir pour qu'elle ne soupçonne pas ce qui se passait !

Juliette ne voit pas ses parents et Marie dans la salle, mais elle envoie dans leur direction un petit signe de la main en remerciement, puis elle se retourne vers la scène que Joshua traverse tenant deux fleurets à la main.

Arrivé sur le podium, il tend les deux fleurets à Juliette et prend le micro.

— Mesdames et Messieurs, dit-il, étudiants du Lycée français et de White Tower, Juliette va maintenant ouvrir le tournoi.

Joshua la prend par le bras et ses yeux bleus qu'elle a vus si froids plongent droit dans les siens, chaleureux et amicaux. Il la conduit à Monsieur Punching Ball, qui à sa grande surprise, enlève son masque. C'est William. Juliette lui donne un des fleurets et il lui fait la bise sous les applaudissements de la salle.

Pendant que William rejoint Michael au centre de la scène, Joshua et Juliette vont jusqu'à Miss Intégration qui prend le fleuret des mains de Juliette.

Chloé, juste derrière elle, dit :

— Vas-y. Tu as promis de jouer le jeu. Enlève le masque.

— Charlotte ! s'exclame Juliette.

— Oui, c'est moi, Juliette, dit Charlotte. Mais c'est

seulement à cause de ton père. Il m'a promis que je serais l'Ambass…

– Chut, dit Chloé.

– J'ai promis d'aider, de jouer le jeu, répond Charlotte. Mais j'ai le droit de parler, quand même !

– Ça m'est égal, dit Juliette en l'embrassant. Charlotte, merci ! Merci d'être là !

Pour une fois, Charlotte ne sait pas quoi dire !

Au centre de la scène, William et Charlotte mènent les deux équipes dans une démonstration des bases de l'escrime, pendant que Michael fait les commentaires. Du podium, Juliette regarde le spectacle et entend les applaudissements du public.

Vers la fin, quand les deux équipes s'apprêtent à quitter la scène, Juliette n'a qu'un seul refrain en tête : *Tout est bien qui finit bien.* La phrase de Shakespeare semble bien à propos et elle est si facile à traduire : *All's well that ends well.* Juliette va pouvoir reprendre sa vie normale. Une vie enrichie par de nouveaux amis bien sûr, mais normale quand même. Plus de responsabilités et plus de crise !

Le tournoi s'achève. Tous les escrimeurs partent et Juliette s'apprête à descendre de la scène quand son père monte et la rejoint sur le podium. Elle se souvient que Marie a dit que Papa voulait faire une annonce au sujet du *Projet d'Intégration des Jeunes Européens.*

*Pauvre Papa*, se dit Juliette pendant que son père arrange ses papiers sur le pupitre, *il ne se rend pas compte que ces trucs de jumelage ne passionnent pas les jeunes.*

– Mesdames et Messieurs, dit Christian en vérifiant que la traduction apparaît toujours à l'écran. Je suis sûr que vous êtes tous d'accord avec moi. Nous devons aider nos jeunes à prendre plus d'initiatives comme celle que nous avons vue ce soir, pour promouvoir l'intégration en Europe !

Juliette se joint aux applaudissements de la salle, mais ne peut pas s'empêcher de se dire, *Bonne idée en théorie mais très peu pour moi, s'il te plaît, Papa.*

Christian continue :

– C'est pourquoi j'annonce un concours des écoles secondaires d'Europe pour les meilleurs projets d'intégration. Le prix pour les écoles gagnantes sera de 50 000 euros !

Tonnerre d'applaudissements dans la salle. Juliette elle-même est impressionnée !

Christian lève la main pour obtenir le silence :

– Et les équipes gagnantes deviendront Ambassadeurs de l'Europe auprès des jeunes du monde ! Je crois qu'avec les meneurs d'équipes du Lycée français et de White Tower, nos écoles ont de très bonnes chances de gagner.

Le projecteur illumine la droite de la scène où Joshua apparaît pour prendre place à côté de Christian. Puis le spot traverse la scène pour illuminer la gauche. Juliette n'en croit pas ses yeux quand Charlotte apparaît et rejoint Joshua et Papa.

*Tout est bien qui finit bien ? All's well that ends well ?*

C'est bien possible, pense Juliette, bouche bée. Mais il semble que tout commence seulement.

**Agrès :** équipement (barres, cheval d'arçon…) utilisé pour la gymnastique.

**Arbitrer :** compter les points, régler les litiges et faire appliquer le règlement.

**Assaut :** en escrime, match.

**Coéquipier/coéquipière :** personne de la même équipe.

**Escrime :** sport de combat au fleuret, à l'épée ou au sabre.

**Eurostar :** train reliant la France et la Grande-Bretagne par le tunnel sous la Manche.

**Fleuret :** épée à lame de section carrée utilisée en escrime.

**Garde :** « En garde ? Prêts ? Allez ! » est la formule donnant le signal du début d'un assaut en escrime.

**Gymnase :** lieu couvert où l'on fait du sport.

**Lame :** partie en acier plate, mince et tranchante d'une épée, d'un sabre…

**Maître d'armes :** entraîneur d'escrime.

**Mascotte :** animal, personne, objet porte-bonheur et symbole d'une équipe sportive, notamment.

**Moniteur (électrique) :** système utilisé en escrime pour enregistrer les touches. Un fil électrique relie le gilet du joueur à un compteur.

**Ordinateur portable :** ordinateur léger et plat qui peut être transporté et utilisé n'importe où.

**Parer :** se protéger et empêcher une touche en escrime.

**Riposter :** faire une manœuvre en réponse à une attaque en escrime.

**Touche :** contact avec un autre escrimeur.

**Tournoi :** compétition sportive en plusieurs manches.

**Tricher :** enfreindre les règles d'un jeu en vue de gagner.

**Vestiaire :** lieu où les sportifs se changent avant et après leur entraînement ou leur compétition.

**Backstage:** areas in a theatre, which are out of view of the public and used by the performers.

**Bobby:** (British) a police officer.

**Breeches:** trousers which reach as far as your knees.

**Comprehensive School:** (British) secondary school catering for children of all abilities from a given geographical area; State schools usually not requiring entrance examinations for entry.

**Council Flats:** publicly subsidised housing, in which the rent is not expensive.

**Eavesdrop (to):** to listen secretly to what is said in private.

**Fencing:** sport in which two competitors fight each other thin swords, foils or sabres.

**Foil:** thin light sword used in fencing with a button on its tip to prevent injury.

**Gear:** equipment, special clothes used for a particular activity.

**Headmaster/headmistress:** man/woman heading the staff of a school.

**Hilt:** handle of a sword, dagger, knife, etc.

**Hooligan:** bad guy, trouble maker.

**Laps:** in a race, a lap is when a competition goes once round course.

**Laptop computer:** computer which can be closed like a notebook to be carried.

**Lice:** plural of louse. **Louse:** small insect that lives on the bodies of people or animals, especially in hair of people.

**Mat:** piece of carpet or other thick material which is put on the floor for protection or comfort.

**Oyster Card:** pre-paid card for use in travel on the London underground and bus system.

**Scrum:** in the game of rugby, formation in which players from both teams side form a tight pack and push, with arms interlocked and heads down, in attempt to get the ball.

**Stepmother/stepbrother:** "step" is combined with other words describing family relationships (mother, father, brother, sister, child) to indicate that the relationship is the result of a remarriage.

**Sword:** weapon usually of metal with a long blade and hilt with a handle.

**CHAPITRE 1**

**1.** *Paul est le frère de*
a. Juliette.
b. Charlotte.
c. Chloé.

**2.** *Juliette n'apprécie pas Charlotte parce qu'*
a. elle provoque des bagarres avec les Anglais.
b. elle est bien habillée.
c. elle est anglaise.

**CHAPTER 2**

**3.** *Joshua steps into a phone box*
a. because he has to make a phone call.
b. because he wants to be close. to his friends in case of a fight.
c. because it is raining.

**4.** *The girl with the nice boots' name is*
a. Charlotte.
b. Katie.
c. Juliette.

**CHAPITRE 3**

**5.** *La mère de Juliette*
a. est morte quand Juliette était petite.
b. s'appelle Daisy.

**6.** *Le père de Juliette est fâché*
a. parce qu'elle écrit des courriels.
b. parce qu'elle s'est bagarrée.
b. parce qu'elle est en retard.

**CHAPTER 4**

**7.** *Where has Chloé found a new market?*
a. in the centre of London.
b. at the White Tower Comprehensive School
c. at the Lycée français.

**8.** *When Juliette realises that Joshua is at the market of White Tower, she wants to*
a. leave right away.
b. talk to him.

**CHAPITRE 5**

**9.** *Qui est l'arbitre lors du match entre Charlotte et Juliette?*
a. Chloé.
b. Paul.

**10.** *Juliette est la petite amie de Joshua.*
a. vrai.
b. faux.

**CHAPTER 6**

**11.** *Michael is Juliette's*
a. step brother.
b. boyfriend.
c. teacher.

**12.** *According to Michael, Joshua and Juliette have something in common; what is it?*
a. they both fence.
b. each of them tried to stop the "duel".

**CHAPITRE 7**

**13.** *Juliette comprend que, le jour du duel, Joshua*
a. voulait battre Paul.
b. voulait arrêter la bagarre.
c. voulait passer un coup de téléphone.

**14.** *Marie pense qu'elle devrait avoir plus de contacts avec les Anglais*
a. vrai.
b. faux.

**CHAPTER 8**

**15.** *Juliette goes to White Tower in order to*
a. learn rugby.
b. practise ballet dance.
c. teach fencing.

**16.** *Joshua wants Juliette to succeed.*
a. true.
b. false.

**CHAPITRE 9**

**17.** *Charlotte taquine Paul au sujet de*
a. ses vêtements.
b. son accent.
c. son amitié pour Juliette.

**18.** *Charlotte propose un tournoi d'escrime*
a. pour mettre Juliette dans l'embarras.
b. parce qu'elle aime la compétition.
c. pour rencontrer les Anglais.

**CHAPTER 10**

**19.** *Mr Punching Ball is*
a. the coach.
b. an English student.
c. a mat dressed as a fencer.

**20.** *Joshua convinces his friends*
a. to play rugby.
b. to attend the fencing lesson.

**CHAPITRE 11**

**21.** *Chloé devient l'amie de*
a. la Française Charlotte.
b. l'Anglaise Jessica.
c. maître Caroline.

**22.** *Qui Juliette aperçoit-elle près de la cabine téléphonique ?*
a. Charlotte et Joshua.
b. Charlotte et Paul.

**CHAPTER 12**

**23.** *Who does Juliette see running toward the square?*
a. Michael
b. Paul
c. Charlotte

**24.** *Juliette finds out that*
a. Joshua speaks Spanish.
b. Charlotte is preparing a real duel in the square.
c. Charlotte is Joshua's girlfriend.

**CHAPITRE 13**

**25.** *Juliette va à White Tower*
a. pour parler avec Joshua.
b. pour s'entraîner.

**26.** *Juliette n'a pas encore annoncé l'annulation du tournoi d'escrime*
a. parce qu'elle a peur.
b. parce qu'elle ne veut pas qu'on accuse les Anglais.

**CHAPTER 14**

**27.** *Juliette is practising*
a. her speech
b. a French poem.

**28.** *When the show begins, Juliette is backstage.*
a. true
b. false

**CHAPITRE 15**

**29.** *Qui joue le rôle de "Monsieur Punching Ball"?*
a. Michael.
b. Joshua.
c. William.

**30.** *Qu'annonce le père de Juliette à l'occasion du tournoi ?*
a. que Juliette a gagné 50 000 euros au Loto.
b. un concours entre les écoles secondaires d'Europe.

**Réponses / Answers p. 94**

# LES ARMES — WEAPONS

Fleuret / *Foil*

Épée / *Sword*

Sabre / *Sabre*

Lame / *Blade* ———

Pointe d'arrêt / *Pointe d'arrêt* ———

# L'ÉQUIPEMENT – GEAR

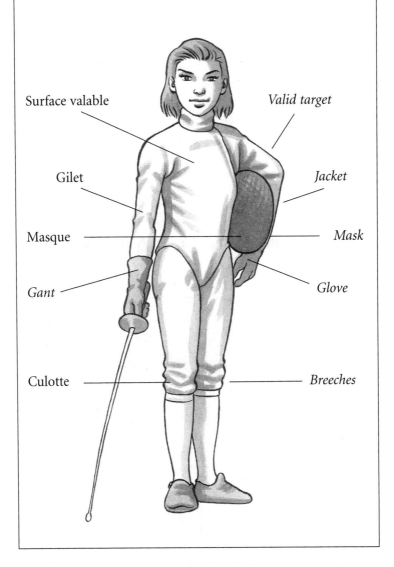

Surface valable

Valid target

Gilet

Jacket

Masque

Mask

Gant

Glove

Culotte

Breeches

## UN ASSAUT — AN ATTACK

Touche / *Hit*

Fente / *Fente*

Rompre / *Retreat*

## UNE RENCONTRE — A MATCH

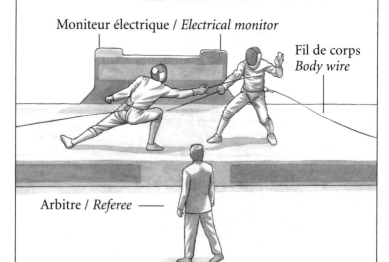

Moniteur électrique / *Electrical monitor*

Fil de corps
*Body wire*

Arbitre / *Referee*

| 1b | 11a | 21b |
|----|-----|-----|
| 2a | 12b | 22a |
| 3b | 13b | 23b |
| 4a | 14a | 24b |
| 5a | 15c | 25a |
| 6b | 16b | 26b |
| 7b | 17c | 27a |
| 8a | 18a | 28b |
| 9a | 19c | 29c |
| 10b | 20b | 30b |

## Score

● Tu as moins de 14 bonnes réponses
*Less than 14 correct answers*

➜ Tu n'as sans doute pas aimé l'histoire...
*Didn't you like the story?*

● Tu as de 14 à 20 bonnes réponses
*Between 14 and 20 correct answers*

➜ Y a-t-il une langue où tu te sens moins à l'aise ?
*Which language is more challenging for you?*

───────────────

● Tu as de 20 à 25 bonnes réponses
*Between 20 and 25 correct answers*

➜ Bravo !
Tu as lu attentivement !
*Congratulations.*
*You read attentively!*

───────────────

● Tu as plus de 25 bonnes réponses
*More than 25 correct answers*

➜ On peut dire que tu es un lecteur bilingue !
*You really are "a dual reader"!*

# Table des matières / Table of contents

## BONUS

Achevé d'imprimer en France par France Quercy.
N° d'imprimeur : 52239B